KT-172-834

antologia

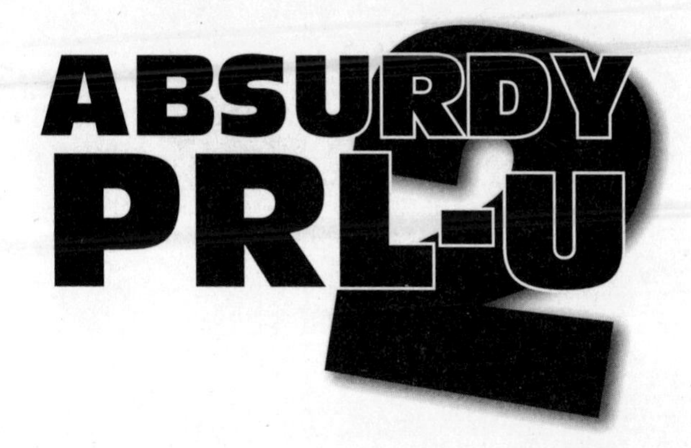

Opracowanie i przedmowa
Marcin Rychlewski

antologia

Poznań 2007

Ojcu,
który kiedyś po wielu trudach
zdobył swoje pierwsze dżinsy.

Absurdy PRL-u 2
Copyright © Vesper 2007

Opracowanie i przedmowa: Marcin Rychlewski
Redakcja: Anna Świtalska-Jopek
Projekt okładki: Marcin Rychlewski
Skład i łamanie: Paweł Orłowski

Wszystkie prawa zastrzeżone.
Żadna część tej książki nie może być reprodukowana bez zgody wydawcy z wyjątkiem zacytowania krótkich fragmentów przez recenzenta.

Do autorów kilku zdjęć i tekstów zamieszczonych w tej publikacji nie udało się nam dotrzeć. Osoby zainteresowane proszone są o kontakt z wydawcą.

Wszystkie zacytowane fragmenty przytoczono w ich brzmieniu oryginalnym, z wszelkimi uchybieniami względem stylu i ortografii.

Dystrybucja:
In Rock
ul. Wieruszowska 16
60-166 Poznań
tel./fax (061) 8686795, 8686506
milosnik@inrock.pl
tomek@inrock.pl
www.inrock.pl

Vesper
www.vesper.pl

Wydanie I
Poznań, październik 2007

ISBN 978-83-60159-57-6
Druk i oprawa: Abedik, Poznań

SPIS TREŚCI

Przedmowa

Czy którykolwiek z dzisiejszych nastolatków, przekarmionych hamburgerami, jest w stanie uwierzyć, jak poszukiwanym towarem w czasach PRL-u była wieprzowina? Zorganizowanie chrzcin czy Pierwszej Komunii było zadaniem karkołomnym, biorąc pod uwagę fakt, że wiązało się ono z koniecznością „zdobycia" mięsa, z reguły – całej świni. W rozwiązaniu tego problemu nieoceniona okazywała się bliższa znajomość z dyrektorem PGR-u, który wystawiał fikcyjny dokument, że rzeczona świnia jest z jakiegoś powodu wadliwa, na przykład kulawa, i dlatego nie nadaje się do oficjalnego obrotu.

PRL był krajem, w którym odbywało się nieustanne polowanie na podstawowe towary, a umiejętność ich „załatwiania" (często w sposób nielegalny) stanowiła przejaw zaradności i sprytu. Normalną konsumpcję utrudniały również nonsensowne przepisy, które oczywiście notorycznie omijano. I tak na przykład mieszkańcy wsi, chcąc nabyć upragniony samochód, brali kredyt, tyle że na zakup... krowy.

Rzeczywistość realnego socjalizmu była absurdalna i siermiężna, co wyzwalało u ludzi niespotykane wręcz pokłady wyobraźni i wynalazczości. Oto inny przykład: w latach sześćdziesiątych krzykiem mody były dżinsy z tylnymi kieszeniami, zapinanymi na zamek błyskawiczny. Kupno jakichkolwiek dżinsów w tym czasie było praktycznie niemożliwe, więc mój ojciec sprowadził je (oczywiście „po znajomości") z Zachodu. Spodnie, mimo iż kosztowały fortunę, rozmijały się niestety z obowiązującymi trendami – nie posiadały suwaków na tylnych kieszeniach. Właściciel dżinsów, chcąc sprostać obowiązującej modzie (trudno się dziwić – był młodym człowiekiem), musiał podjąć nie lada wyzwania. Po pierwsze należało w ogóle zdobyć jakikolwiek zamek błyskawiczny, po drugie – suwak odpowiedniej długości, po trzecie zaś (najtrudniejsze) granatowy zamek w kolorze spodni. Ojciec bohatersko pokonał dwie pierwsze przeszkody, poległ na trzeciej – zdobyty zamek był koloru brązowego. Jednakże i ten opór materii dało się ostatecznie złamać – brązowy materiał został zamalowany granatowym atramentem.

Peerelowska konsumpcja była zatem w najlepszym razie żałosną namiastką konsumpcji zachodniej. Widać to szczególnie, kiedy weźmie się pod lupę rodzimy przemysł rozrywkowy lat sześćdziesiątych i siedemdziesiątych. Kultura masowa w wydaniu socjalistycznym tak się mniej więcej miała do popkultury zachodniej, jak – nie przymierzając – porucznik Borewicz do Jamesa Bonda. O ile brytyjskie zespoły rockowe wykrzykiwały pokoleniowe gniewne hymny w rodzaju *No Satisfaction* czy *My Generation*, o tyle „bunt" polskich zespołów bigbitowych przybierał bardziej uładzoną formę i sprowadzał się co najwyżej do tego, że „nie możemy iść dzisiaj do kina / dozwolone od lat osiemnastu". Państwo socjalistyczne najwyraźniej nie dostarczało młodzieży powodów do narzekań. Nawet moda tamtego okresu, lansowana przez rodzime gwiazdy, miała charakter specyficzny. Stanowiła ona dziwaczną fuzję wzorów hippisowskich i obciachu à la „cepelia", co nie było przypadkowe, zważywszy na fakt, że wszyscy partyjni „terroretycy" sztuki kładli duży nacisk na związek kultury socjalistycznej z klasowo „słuszną" kulturą ludową.

Tandetność soc-popu wynikała zarówno z ideologicznego nacechowania (Festiwal Piosenki Żołnierskiej w Kołobrzegu, Festiwal Piosenki Radzieckiej w Zielonej Górze), jak i z oczywistego ubóstwa technologicznego, braku dobrych gitar, sprzętu nagłaśniającego *etc.* Jakość płyt winylowych urągała wszelkim standardom, a to, w co je pakowano, z reguły obrażało zmysł wzroku oraz (nawet) dotyku, dlatego że polskie okładki charakteryzowały się wyjątkową miękkością papieru. Bywały również sytuacje zupełnie groteskowe: mało fanów rocka zapewne wie o tym, że część nakładu krążka Klausa Mitffocha sprzedawano w zastępczych okładkach zespołu Gawęda, bo oryginalnych kopert... zabrakło.

PRL był jednak nie tylko światem wyrobów zastępczych czy zwykłych bubli, ale również stanowił obszar nowomowy i licznych kuriozów propagandowych. Aby się o tym przekonać, wystarczy przeczytać pierwszy rozdział książki, gdzie „Trybuna Ludu" donosi między innymi o pojawieniu się stonki ziemniaczanej, zrzuconej jakoby w celach dywersyjnych przez amerykańskie samoloty. W części drugiej antologii znajdują się dla odmiany nonsensy oświatowe: fragmenty „wychowawczych" artykułów z „Młodego Technika" (o nastoletnich przodownikach pracy, o dwóch genialnych racjonalizatorach, którzy skonstruowali „stonkomór"), cytaty z programów nauczania czy z podręcznika do języka polskiego. Szczególnie lektura tego ostatniego (podręcznik z 1977 roku!) jest porażająca, dlatego że treści ideologiczne są tam przemycane nawet przy okazji ćwiczeń z ortografii czy gramatyki. Od propagandowego nacechowania nie są również wolne poradniki gospodyń wiejskich, w których informacje na temat urody czy higieny kontrastują z tematami „produkcyjnymi" i patriotyczną retoryką. Niezamierzony komizm poradników wynika często z nieporadności stylistycznej, wskutek czego pozornie neutralne ideologicznie sformułowania nabierają propagandowej dwuznaczności. Oto fragment dotyczący odwszawiania głowy:

Czasem zdarza się, szczególnie u dzieci, zawszenie głowy. Wszy usunąć łatwo przez codzienne czesanie gęstym grzebieniem, ale grzebień nie usunie gnid, a każda gnida to wesz. (sic!)

Najbardziej jednak chyba rozbawią Czytelnika dziwolągi językowe zamieszczone w rozdziale *Migawki*, będącym kolażem wycinków z peerelowskiej prasy. Ewidentne lapsusy mieszają się tam z bełkotem obwieszczeń, przemówień i instrukcji użytkowania. Oto niektóre „głosy w dyskusji", pojawiające się w trakcie zebrań artystów plastyków:

Konstytucja jest momentem, który idzie z duchem zagadnienia.

(...)
Jestem nabrzmiały tymi strasznymi sprawami, od których włosy rosną na głowie.
(...)
Strona duchowa była wybitna przez przewagę zbliżeń i przebitek.
(...)
Do tej inicjatywy oddolnej kolegów najusilniej zapraszam...

Szczególny charakter ma rozdział *Co pisze ulica*, w którym zestawiłem hasła z pochodów pierwszomajowych z anonimowymi wierszami publikowanymi w drugim obiegu. Kontrast ten obrazuje nie tylko rozdźwięk pomiędzy językiem publicznym a mową potoczną, ale przede wszystkim typowe dla minionej epoki zjawisko „dwójmyślenia”, będące w istocie podziałem na sferę poglądów „oficjalnych”, i tych, które wypowiada się „prywatnie”, w gronie zaufanych przyjaciół.

Język propagandy, którym wszyscy obywatele PRL-u byli nieustannie bombardowani przez radio, telewizję czy reżymowe gazety, wpływał nie tylko na style mówienia, ale również na style myślenia. Okazuje się, że przenikał nawet do wypracowań szkolnych. Oto przykłady:

Dzięki rybom wprowadzono w Polsce dzień bezmięsny.
(...)
Kret prowadzi działalność podziemną szkodliwą dla rolników.

Niemniej nie tylko o nowomowie jest ta książka, ale również o sprawach codziennych, o tym, jak dziwnym doświadczeniem było uczestnictwo w rzeczywistości, będącej w istocie tragifarsą. Dowodów na to dostarczają osobliwe „reklamy": gazet radzieckich, margaryny, skrzyń ze sklejki i płyt pilśniowych czy pił tarczowych do cięcia mięsa i kości (rozdziały *Z „Trybuny Ludu"* oraz *Migawki*). Specyficzne są również lansowane przez prasę specjały kulinarne, na przykład „jarskie flaczki" czy „kotlety z płatków owsianych" (*Kobietom pracującym*).

W tym nurcie tematycznym znajdują się także autentyczne listy do telewizji, radia oraz gazet, głównie „Przyjaciółki". Zostały one podzielone na trzy części. Pierwszą z nich stanowią opinie telewidzów na temat emitowanych filmów oraz programów rozrywkowych. Listy te – często niezwykle zabawne – dokumentują sposób postrzegania telewizji okresu gierkowskiego przez przeciętnego odbiorcę, poza tym są zapisem jego gustów i (zazwyczaj niespełnionych) oczekiwań. Wynika z nich, że „postępowe" (w sferze obyczajowości) pomysły Macieja Szczepańskiego oraz jego ekipy trafiały na silny opór widowni, która protestowała przeciwko pokazywaniu „golizny" w polskich produkcjach i za nic miała „nowoczesne", zachodnie trendy. W dwóch następnych częściach zamieszczono listy „interwencyjne": pisane w sprawie jakości towarów i usług oraz w związku z szerzącą się plagą pijaństwa.

Moda na PRL ciągle trwa. W przypadku starszej generacji wynika ona przypuszczalnie z nostalgii za czasami młodości, a po części może również z rozczarowania bieżącą sytuacją społeczno-polityczną, która zapewne doczeka się wkrótce swojego „antologisty". W odniesieniu do młodego pokolenia, które nie pamięta tamtych czasów, należy raczej mówić o fascynacji światem przypominającym raczej groteskową fikcję literacką rodem z Mrożka niż rzeczywistość potoczną. Czytając jednak tę książkę, warto pamiętać, że PRL fikcją literacką nie był. Niestety...

Marcin Rychlewski

Z „Trybuny Ludu”

1950

Ogniska stonki ziemniaczanej wykryto w zachodnich województwach Polski.

Skutki zbrodniczego zrzutu w NRD (2.06.)

Jak informuje Ministerstwo Rolnictwa i RR, na terenie gromady Pakosław pow. Nowy Tomyśl w woj. poznańskim znaleziono 23 bm. pierwsze tegoroczne ognisko stonki ziemniaczanej. W ostatnich dniach zameldowano o wykryciu 3 dalszych nowych ognisk stonki ziemniaczanej w powiatach: Świnoujście, Chodzież i Chojna.

Niespodziewane wykrycie ognisk stonki w rejonach, gdzie szkodnik ten dotychczas nigdy nie występował, zbiegło się z wypadkiem zrzucania przez samoloty amerykańskie stonki ziemniaczanej na tereny Niemieckiej Republiki Demokratycznej. Przypuszcza się więc, że zrzucona z samolotów stonka ziemniaczana, wskutek trwających wtedy burz i porywistych wiatrów z kierunku zachodniego, przeleciała na tereny polskie. Należy podkreślić, że specjalna komisja Ministerstwa Rolnictwa i RR stwierdziła nalotowy charakter nowo odkrytych ognisk stonki ziemniaczanej.

W związku z niebezpieczeństwem dalszego rozprzestrzeniania się stonki ziemniaczanej Ministerstwo Rolnictwa zwraca się do całego społeczeństwa, a szczególnie do personelu Służby Ochrony Roślin, robotników rolnych, członków spółdzielni produkcyjnych i indywidualnych gospodarzy, aby poszukiwania stonki ziemniaczanej przeprowadzili na swoich polach bardzo uważnie. Wykryte i uśmiercone okazy stonki ziemniaczanej, włożone do flaszek z naftą, należy niezwłocznie zgłosić do właściwego urzędu gminnego. Za wykrycie i zgłoszenie każdego nowego ogniska stonki Urząd Wojewódzki wypłaci znalazcy nagrodę w wysokości 10.000. zł.

Ministerstwo Rolnictwa i RR apeluje do terenowych komórek partii politycznych, terenowych ogniw Związku Samopomocy Chłopskiej oraz komitetów ochrony roślin, aby ze swej strony udzieliły Służbie Ochrony Roślin jak najdalej idącej pomocy w organizowaniu zbiorowych poszukiwań stonki ziemniaczanej oraz w uświadamianiu rolników o niebezpieczeństwie stonki.

O zbrodniczej akcji złoczyńców imperialistycznych, którzy zrzucili z samolotów amerykańskich stonki ziemniaczane na tereny Niemieckiej Republiki Demokratycznej, pisaliśmy już w „Trybunie Ludu" (artykuł *Niesłychana zbrodnia imperialistów amerykańskich. Samoloty USA zrzucały ogromną ilość stonki ziemniaczanej na terytorium Niemieckiej Republiki Demokratycznej*, 30.05. – przyp. M.R.)

W związku z komunikatem Ministerstwa Rolnictwa trzeba tylko dodać, że przeniknięcie stonki do zachodnich województw Polski zmobilizuje nasze społeczeństwo, a w szczególności naszą wieś, do zwalczania tej zarazy.

Społeczeństwo polskie oceni należycie zwyrodnienie imperialistycznych trucicieli, godnych następców hitlerowskich i faszystowsko-japońskich degeneratów. Prowokatorzy osiągnęli cel wręcz przeciwny do zamierzonego, spotęgowali tylko nienawiść polskiego społeczeństwa do podżegaczy wojennych, do siewców stonki ziemniaczanej i szermierzy atomowej bomby.

Dalsze naloty stonki ziemniaczanej na tereny województw zachodnich. (3.06)

Punkty obserwacyjne Służy Ochrony Roślin oraz drużyny poszukiwaczy sygnalizują dalsze naloty stonki ziemniaczanej zza Odry w głąb zachodnich województw kraju.

W woj. szczecińskim nadlatująca zza Odry olbrzymia ilość stonki ziemniaczanej porwana została przez wiatry w kierunku otwartego morza i wpadła do wody. Jednak większa część owadów pozostała przy życiu i rozpoczęła naloty na pobliskie pola upraw ziemniaczanych.

Akcja przeciwstonkowa na wybrzeżu i w województwach zachodnich przebiega sprawnie. Drużyny poszukiwaczy codziennie lustrują pola upraw ziemniaczanych. Ministerstwo Rolnictwa przeznaczyło dodatkowo pewne ilości środków chemicznych oraz ręczne i motorowe aparaty do opryskiwania tymi środkami zagrożonych pól. W zwalczaniu stonki biorą też udział samoloty, które rozpylają środki chemiczne nad polami ziemniaków.

Ze względu na wiatry wiejące ostatnio z kierunku zachodniego, które w dalszym ciągu sprzyjają przelotom stonki ziemniaczanej oraz ze względu na spodziewane ocieplenie się, Ministerstwo Rolnictwa zwraca się do wsi polskiej, do robotników PGR, członków spółdzielni produkcyjnych i indywidualnych gospodarzy z apelem o zachowanie nadal jak największej czujności w wyszukiwaniu stonki na wszystkich polach upraw ziemniaczanych.

1951

Plon naszej pokojowej twórczej pracy.

Witamy dziś Nowy Rok, rok 1951, drugi rok naszego wielkiego Planu 6-letniego – planu zbudowania podstaw socjalizmu w Polsce Ludowej, planu podniesienia potęgi materialnej i kulturowej naszej Ojczyzny, planu szczęścia i dobrobytu dla całego Ludu pracującego.

(...)

Świadomi jesteśmy, że nasza klasa robotnicza i masy pracującego chłopstwa nie będą szczędzić sił, aby w 1951 roku i w dalszych latach naszego wielkiego pokojowego budownictwa pomnażać swoim twórczym wysiłkiem wkład Polski Ludowej do dzieła walki o pokój, wolność i socjalizm.

Orędzie noworoczne Prezydenta RP Bolesława Bieruta do narodu polskiego (fragmenty):

(...)

Obywatele! Siostry i Bracia!

Z dumą żegnamy rok miniony – rok wspaniałej i twórczej pracy – i z otuchą, z nowymi siłami i poważnym dorobkiem witamy Nowy Rok.

(...)

Najważniejszą, decydującą sprawą, głównym zadaniem naszym i wszystkich ludzi pracy na całym świecie jest wzmocnienie walki o pokój.

System imperialistyczny gnije, pogrąża się w sprzecznościach, w awanturnictwie i zdziczeniu. Podżegacze wojenni, pogłębiając upadek własnych społeczeństw, mobilizują wszystkie znajdujące się w ich rozporządzeniu siły na dzieło zniszczenia, a nie na potrzeby mas ludzkich. Od sześciu miesięcy z górą armie imperialistów pustoszą piękny kraj koreański i mordują jego ludność. Pod zbankrutowanym i zhańbionym hasłem faszystowskim: krucjaty przeciwko ZSRR – usiłują agresorzy amerykańscy, nowi podpalacze świata, ożywić trupa hitlerowskiego Wehrmachtu, odrodzić militaryzm niemiecki, aby znów rzucić go przeciwko Polsce, przeciwko krajom demokracji ludowej, przeciwko narodom radzieckim.

(...)

Dlatego też wszystkie narody świata muszą zaostrzyć swą czujność. Kraje, gdzie władzę sprawuje lud pracujący, są niezwyciężone.

(...)

Jeszcze niemało wrogów również w naszym kraju czyha na nasz spokój, chce przeszkodzić naszej twórczej pracy. Lecz im bardziej będziemy zwarci i czujni, tym bardziej izolowany i bezsilny będzie wróg.

***

Nowy sklep MHD obsługiwany przez brygadę kobiecą.

W dniu 30 bm. MHD artykułami przemysłowymi w Warszawie uruchomił przy ul. Puławskiej 90a nowy sklep z obuwiem damskim. Sklep jest obsługiwany przez brygadę kobiecą.

ZMP-owcy Polskich Zakładów Optycznych w Warszawie utworzyli szkołę stachanowską.

Wzorując się na doświadczeniach robotników radzieckich ZMP-owcy z Polskich Zakładów Optycznych utworzyli pierwszą na terenie warszawskich zakładów pracy „szkołę stachanowską".

Do szkoły tej, mającej na celu podnoszenie kwalifikacji zawodowych, zgłosiło się ponad 30 robotników i robotnic. Wykładowcami w szkole stachanowskiej będą doświadczeni robotnicy i przodownicy pracy oraz inżynierowie i kierownicy techniczni. Na odbywających się co tydzień wykładach młodzież zdobędzie niezbędne wiadomości techniczne oraz zapozna się z procesami produkcji, co pozwoli jej na stałe ulepszanie systemu pracy oraz podnoszenie jakości wykonywanych produktów.

***

Nagłówki z pierwszej strony „Trybuny Ludu" z dnia 8 stycznia 1951 roku:

Załoga 4 oddziału kopalni „Victoria" wykonała w ciągu doby 2 cykle. Dalsze kopalnie odpowiadają na apel tow. Kawczyka.

Koreańska armia ludowa wyzwoliła miasta Wondzu i Suwon.

Niech cały świat wie o bestialstwach amerykańskich interwentów w Korei.
Apel ministra Pak Hen-ena do ONZ.

Podnieście jeszcze wyżej sztandar walki przeciw drapieżcom imperialistycznym. Kobiety koreańskie apelują do kobiet świata.

Z dnia na dzień rośnie liczba „trójek pokoju", zbierających podarunki dla dzieci koreańskich.

Damy więcej węgla, obniżymy koszty wydobycia! List otwarty brygadzisty kopalni „Victoria" tow. Waltosza (fragment)

(...)

Apeluję do towarzyszy górników: walczmy o obniżkę kosztów produkcji przez pogłębianie wrębów, przez cykliczne pędzenie ścian, przez dalsze podnoszenie czystości urobku.

Zwracam się do towarzyszy sztygarów, zwiększajcie swą troskę o przygotowanie robót, o zapewnienie górnikom wszystkiego, czego potrzebują dla wykonania swych działań.

Wzywam wszystkich górników do współzawodnictwa o obniżenie kosztów własnych produkcji i zobowiązuję się wraz z moją brygadą zwiększyć głębokość wrębu o 50 cm, wykonać cykl w ciągu jednej zmiany, zwiększyć wydajność o 5 proc., podnieść czystość urobku o 20 proc. (7.02.1951)

***

„Wiadomości sportowe"

Zrzeszenie sportowe „Kołchoźnik" organizatorem kultury fizycznej na wsi radzieckiej.

Poniżej zamieszczamy artykuł zastępcy przedstawiciela Komitetu Kultury Fizycznej i Sportu przy Radzie Ministrów RSFRR – A. Wasiliewa. Artykuł ten zawiera wiele cennego materiału dla naszego aktywu sportu wiejskiego. (fragment – M.R.)

Aktywny udział w życiu sportowym biorą chłopi kołchozowi, którzy w wyniku zwycięstwa ustroju socjalistycznego uzyskali olbrzymie możliwości wszechstronnego rozwoju kulturalnego i fizycznego. Każda wieś ma swoich przodujących sportowców, mistrzów, rekordzistów. Ma nowoczesne urządzenia sportowe. Szybko rosną kadry wiejskich sportowców. Wystarczy powiedzieć, że w RSFRR w porównaniu z 1948 r. liczba ich wzrosła prawie o 60 proc.

Niemniej ważnym argumentem, świadczącym o rozwoju kultury fizycznej w kołchozach, jest wzrost ilości startujących w różnych wiejskich zawodach sportowych.

I tak np. około 500 tys. sportowców bierze udział w wiejskich zawodach narciarskich RSFRR.

Słuszna inicjatywa przodownika pracy-sportowca tow. Soboty z Nowej Huty w sprawie szkolenia kadr. (fragment)

Robotnik transportowy z Nowej Huty tow. Stefan Sobota – przodownik pracy i działacz sportowy oraz czynny zawodnik, zgłosił na jednym z ostatnich zebrań swego koła sportowego apel pod adresem Głównego Komitetu Kultury Fizycznej, by szkolenie organizatorów prób na SPO odbywało się bez odrywania kandydatów od miejsc stałej pracy. (...)

Apel tow. Soboty spotkał się z całkowitym zrozumieniem zgromadzonych na zebraniu robotników sportowców. Jego inicjatywa jest słuszna i wymaga jak najszybszej realizacji.

***

Chcemy zmniejszyć zużycie smarów w parowozach. (fragment)

Dnia 6 lipca br. wydrukowaliśmy w „Trybunie Ludu" artykuł maszynisty kolejowego ZMP-owca tow. Mućka, w którym domagał się on od Ministerstwa Kolei powszechnego zastosowania na naszych parowozach cennego usprawnienia towarzyszy-kolejarzy z Niemieckiej Republiki Demokratycznej. Usprawnienie to przynosi poważne oszczędności smarów. Publikujemy dziś dwie korespondencje, maszynisty tow. Szymańskiego i maszynisty tow. Rondudy, którzy mocno popierając wniosek tow. Mućka, piszą o swojej dotychczasowej walce o oszczędne używanie smarów. (13.07.)

Kolejarze poznańscy przystępują do walki o oszczędność smarów.

Wezwanie maszynistów stacji Warszawa-Praga o oszczędne zużycie smarów przez stosowanie na parowozach specjalnych wtryskiwaczy pomysłu racjonalizatorów z Niemieckiej Republiki Demokratycznej – znalazło szeroki oddźwięk w całym kraju. (...)

Kolejarze poznańscy z dużym zainteresowaniem powitali cenne usprawnienie. „Trzeba je wypróbować jak najszybciej na kilku maszynach, a później przenieść na wszystkie parowozy. Przecież to będą olbrzymie oszczędności smaru, idące w skali rocznej w miliony złotych" – oświadczył były maszynista, a obecnie kierownik parowoźni Poznań – Towarowa tow. Job. (17.07.)

***

Socjalizm, jak przystało na religię *à rebours*, miał swoich „świętych", których „hagiografia" stanowiła nieodłączny element oficjalnej propagandy i to nie tylko w okresie stalinowskim. Poniżej prezentuję tematy artykułów z numeru poświęconego pamięci Feliksa Dzierżyńskiego (20 lipca) – M.R.:

Naród polski uroczyście czci pamięć wielkiego polskiego rewolucjonisty Feliksa Dzierżyńskiego.

Wieczny płomień.

Józef Stalin: *Na śmierć F. Dzierżyńskiego.*

Z pism Feliksa Dzierżyńskiego.

Feliks Dzierżyński – płomienny patriota i internacjonalista.

Stanisław Wygodzki: *Dzieci (z wierszy o Feliksie Dzierżyńskim).*
cytat:

„... dla dzieci wszystko...", Feliks pisze,
poruszy kraj i Partię, wszystkich!
I Feliks się uśmiecha w ciszy
i widzi uśmiech dzieci bliski"

A. Kinkulkin: *Feliks Dzierżyński – dzieci*

Plastycy polscy ku czci Dzierżyńskiego.

Opowieść filmowa o Feliksie Dzierżyńskim.

1953

6 marca „Trybuna Ludu" poinformowała społeczeństwo o śmierci Józefa Stalina. Lektura całości artykułów, które zamieszczano w tym oraz kolejnych dniach, byłaby zapewne dla Czytelnika dosyć nużąca. Wszystkie komunikaty, okolicznościowe laudacje i lamenty są niemal identyczne, jeśli idzie o pompatyczność i licytowanie się w wymienianiu zasług „Wielkiego Językoznawcy". Dlatego ograniczam się do przytoczenia garści cytatów, które, jak sądzę, wiele mówią na temat odmóżdżającej i (miejscami) groteskowej propagandy tamtego okresu.

Nagłówki z pierwszych stron:

Przestało bić serce wodza ludzkości – Wielkiego Stalina.

Orzeczenie lekarskie o przebiegu choroby i o śmierci J.W. Stalina.

Biuletyn o stanie zdrowia Józefa Stalina 5 marca 1953 r. o godzinie 2.

Biuletyn o stanie zdrowia Józefa Stalina 5 marca 1953 r. o godzinie 16.

Władysław Broniewski: *Słowo o Stalinie* (fragmenty).

Droga życia i walki Józefa Stalina.

***

Tematy artykułów z 7 marca:

Nieśmiertelne imię Stalina zawsze będzie żyć w sercach narodu polskiego i całej postępowej ludzkości.

Naród polski składa hołd pamięci Wielkiego Stalina. Towarzysz Bierut złożył kondolencje na ręce ambasadora ZSRR.

Nauka Wielkiego Stalina żyje i zwycięża.

Wiecznie żyć będzie.

Wraz z bratnim narodem radzieckim.

Żołnierze ślubują.

Naród radziecki żegna swego ukochanego Wodza.

Lud Moskwy przyrzeka poświęcić wszystkie swe siły dla triumfu idei stalinowskich.

Masy pracujące całego świata studiują genialne dzieła Stalina.

***

8 marca:

Wskazania Stalina (w Międzynarodowym Dniu Kobiet). (fragmenty – M.R.)

Powinny one pamiętać o sile i znaczeniu kołchozów dla kobiet, powinny pamiętać, że tylko w kołchozie mogą stanąć na równej stopie z mężczyzną. Bez kołchozów nierówność, w kołchozach – równość praw.

(...)

...kobiety dawno już wyszły z zacofania i stanęły w pierwszych szeregach.

Kobiety w kołchozach – to wielka siła.

(...)

Odchodząc od nas, wielki wódz i nauczyciel ludzi pracy, nasz Lenin, pozostawił nam przykazania, wskazał drogi, którymi winniśmy kroczyć ku ostatecznemu zwycięstwu komunizmu. Wypełniajcie te przykazania Iljicza, robotnice i chłopki!

Wychowujcie swoje dzieci w duchu tych przykazań!

(...)

Towarzysz Lenin nauczał nas, abyśmy dzierżyli wysoko sztandar partii komunistycznej, wodza wszystkich uciśnionych. Zwierajcie więc szeregi wokół tej partii, robotnice i chłopki – to wasza partia!

***

Niektóre nagłówki z 9 marca:

Nieśmiertelne jest imię Stalina i Jego dzieło.

Tytan rewolucyjnej myśli i czynu.

Cała Polska w hołdzie Wielkiemu Wodzowi.

Najlepsi proszą o przyjęcie do partii.

Robotnicy Stalinogrodu meldują.

Michał Szołochow: *Żegnaj, Ojcze.*

Teodor Marchlewski: *Geniusz Stalina uskrzydlił naukę.* Oto cytat:
Nieoceniony jest wkład Towarzysza Stalina w rozwój ekonomii, językoznawstwa, biologii, fizjologii, fizyki i innych dziedzin nauki. Wnikliwe studiowanie Jego dzieł pomoże nauce w rozwiązywaniu wielu trudnych problemów. Ostatnia praca Towarzysza Stalina – *Ekonomiczne problemy socjalizmu w ZSRR* uzbraja naukowców do walki z subiektywistycznymi teoriami negującymi obiektywność działania praw przyrodniczych i ekonomicznych.
Po wieczne czasy pozostanie imię Stalina jaśniejącą gwiazdą w nauce światowej. Z jego dzieł uczyć się będą pokolenia naukowców, by służyć swą pracą realizacji podstawowego prawa nowego ustroju: zaspokojeniu stale rosnących potrzeb materialnych i kulturalnych całego społeczeństwa.

Niezwyciężone są idee Marksa – Engelsa – Lenina – Stalina. Nie będziemy szczędzić wysiłków, by w pełni urzeczywistnione zostały cele, którym swe życie poświęcił Wielki Stalin.

1956

Stonka wciąż groźna.

Na polach Dolnego Śląska wykryto już ponad 10 tys. ognisk stonki ziemniaczanej. Szkodnik zagraża najpoważniej powiatom Wołów, Trzebnica, Wrocław, Świdnica.

Niebezpieczeństwo jest tym większe, że nie wszędzie lustracja pól ziemniaczanych przebiega należycie. Na przykład w gospodarstwach PGR Nowoszyce i Świeszna w zespole Stronie lustracji nie przeprowadziło się w ogóle. Podobnie jest w gospodarstwach zespołu Szczepanów.

Słabo jest także wykorzystywany sprzęt POM-ów przeznaczony do walki ze stonką. Wiele aparatów do opylania stoi nieczynnych ze względu na brak części zamiennych. (2.07.)

***

Przodujący traktorzyści i kombajniści wzywają do współzawodnictwa. (8.07.) (fragmenty)

Kilkunastu przodujących traktorzystów i kombajnerów – uczestników narady mechanizatorów rolnictwa, która odbyła się niedawno w Warszawie, wezwało wszystkich traktorzystów i kombajnistów POM i PGR w kraju do rozwinięcia w okresie tegorocznych żniw i omłotów współzawodnictwa pracy. W odezwie, pod którą podpisało się 18 traktorzystów i kombajnistów, czytamy:

„Traktorzyści i kombajniści! Od nas przede wszystkim zależy sprawny i terminowy przebieg żniw, właściwym zorganizowaniem sobie pracy w brygadach polowych nie dopuścimy do zmarnowania ani jednego kłosa.

(...)

Mechanicy i agronomowie! Pomagajcie brygadom w organizowaniu współzawodnictwa i w realizacji podjętych zobowiązań. W walce o chleb dla miast i wsi, o zabezpieczenie paszy dla inwentarza – powinien uczestniczyć każdy z nas".

***

Sine kiełbasy z „Żubra" (08.07, fragmenty)

Alarmujący telefonogram odebrał Stołeczny Zarząd Przemysłu Gastronomicznego 16 czerwca br. WZG – Praga Śródmieście zawiadamia w nim, że przetwórnia „Żubr" z ulicy Targowej wydaje kiełbasę „cytrynową", która w 5 minut po przekrojeniu – sinieje.

Tego samego dnia u „Żubra" przy ul. Górczewskiej spisano 2 protokoły. Kiełbasa parówkowa ma zły zapach i niewłaściwy wygląd na przekroju. Drugi protokół dotyczył nieodpowiednio zrobionej kiełbasy krwistej.

(...)

To jest tylko jedna, najważniejsza sprawa związana z zaopatrzeniem mieszkańców Warszawy w wędliny. Nie wątpimy, że jej epilog znajdzie się w prokuraturze i będzie poważną przestrogą na przyszłość.

***

175 tys. choinek dla Warszawy. (3.12)

Od 3 grudnia placówki handlu detalicznego w całym kraju rozpoczną sprzedaż choinek świątecznych. Na tegoroczne Święta Bożego Narodzenia Ministerstwo Leśnictwa przeznaczyło na rynek ok. 1 mln drzewek. Z tej liczby dla Warszawy przeznaczono 175 tys.

Ceny drzewek kształtować się będą zasadniczo na poziomie, jaki obowiązywał w latach poprzednich. Tak więc drzewko do 1 m wysokości kosztować będzie 9 zł., od 1 do 2 m – 15 zł., drzewka powyżej 2 m – 21 zł. Ceny na choinki świetlicowe ustalone zostały na 64 zł.

***

Margarynę mleczną przygotowuje przemysł tłuszczowy.

Jeszcze przed świętami, około 18 grudnia, przemysł tłuszczowy dostarczy na rynek warszawski sporą ilość margaryny mlecznej, w ostatnich latach w ogóle u nas nie produkowanej.

Margaryna mleczna dzięki zawartości mleka ma większą wartość odżywczą od margaryny zwykłej oraz lepszy smak i przyjemniejszy zapach. Z powodzeniem może być stosowana w gospodarstwie domowym, szczególnie nadaje się do wypieku. (5. 12.)

1968

12.03

Warszawskie załogi domagają się przywrócenia spokoju w Stolicy. FSO protestuje przeciw awanturom na ulicach.

„Nad 6-tysięcznym tłumem robotników, którzy przyszli tu wprost od swoich stanowisk pracy – czytamy m.in. «Studenci do nauki, literaci do pióra», «Praca, nauka, spokój», «Więcej dzieci robotników na wyższe uczelnie», «Warszawa pracy chce spokoju», «Oczyścić partię z Syjonistów» (...)

Ślusarz narzędziowy FSO Michał Kosowski – jeden ze starszych pracowników Żerania – odczytuje projekt rezolucji. Czytamy w niej m.in.:

«Wysiłkiem całego narodu, wysiłkiem naszych robotniczych rąk – zbudowany został w Ludowej Ojczyźnie powszechny system oświaty i szeroko otwarte zostały bramy uczelni. Dlatego też z wielkim niepokojem i głębokim oburzeniem śledzimy awantury grup studenckich, którym przewodzą znani z politycznego rozrabiactwa studenci; Michnik, Szlajfer, Topolski, Górecki, Dojczgewant (chodzi prawdopodobnie o Józefa Dajczgewanda – podkr. – M.R), Toruńczyk, Werfel, Weintraub i inni. (...)

Uważamy, że władze nasze dostatecznie długo tolerowały działalność wrogich nam grup i poszczególnych ludzi, stosując metody przekonywania i perswazji. Dlatego też żądamy zdecydowanego położenia kresu wszelkiej szkodliwej dla nas działalności i ostatecznego rozprawienia się z nieodpowiedzialnymi bankrutami politycznymi».

Pełne poparcie dla polityki partii. Potępienie inspiratorów i prowodyrów zajść. Załogi żądają zapewnienia spokoju i porządku (fragment)

Załogi stołecznych zakładów pracy protestowały we wtorek przeciwko ekscesom na uczelniach i ulicach Warszawy, żądając przywrócenia spokoju i porządku w mieście oraz domagając się wyciągnięcia konsekwencji wobec inspiratorów. Głos protestu i potępienia mącicieli, głos solidarności z robotnikami Warszawy rozległ się również z zakładów pracy Śląska, Krakowa, Lubelszczyzny, Łodzi, Szczecina i innych miast. (14.03, czwartek)

Zwolnieni ze stanowisk na Uniwersytecie Warszawskim (26.03.)

25 bm. zostali zwolnieni ze swych stanowisk na Uniwersytecie Warszawskim profesorowie Wydziału Filozoficznego: prof. dr Bronisław Baczko, prof. dr Leszek Kołakowski i prof. dr Stefan Morawski, docenci tego wydziału: Zygmunt Bauman, Maria Hirszowicz oraz profesor Wydziału Ekonomii Politycznej – Włodzimierz Brus.

Opinia publiczna posiada już sporo informacji o organizatorach ostatnich wydarzeń na Uniwersytecie Warszawskim i w środowisku studenckim. Wiadomo, że bezpośrednimi sprawcami tych wydarzeń była dobrze zorganizowana grupa studentów lub byłych absolwentów Uniwersytetu Warszawskiego, głównie pochodzenia żydowskiego, znanych od dłuższego czasu z rewizjonistycznych wystąpień i poglądów. (...)

Wszyscy wymienieni pracownicy naukowo-dydaktyczni ponoszą dużą moralną i polityczną odpowiedzialność za ostatnie wydarzenia na UW. Udzielali oni przez długi czas ideowego wsparcia oraz osłony grupie Kuronia i Modzelewskiego, a następnie Michnika, Szlajfera, Blumsztajna, Dajczgewanda i innych.

3.04.

Wierność i poparcie dla partii. Wrogów ludowej ojczyzny izolować od uczciwie pracującego społeczeństwa. (fragment)

Na zebraniu zespołów redakcyjnych szczecińskiej prasy, radia i TV podjęta została jednomyślnie rezolucja, w której m.in. czytamy: „Solidaryzujemy się z decyzjami, które uniemożliwiają już określonej grupie naukowców Uniwersytetu Warszawskiego, rewizjonistom i pseudoliberałom, oddziaływanie na młodzież studencką i sprzeczne z interesami narodu polskiego utrzymywanie monopolistycznego wpływu na rozwój polskiej myśli socjologicznej, ekonomicznej i filozoficznej. Jesteśmy przeciwko Żółkiewskim, Baumanom, Brusom i Staszewskim.

Uważamy jednak, że podobnie zdecydowanego działania partii wymaga również polska prasa, agencje prasowe, radio i telewizja, zgodnie z tym, co powiedział towarzysz Wiesław: «Z racji swych kosmopolitycznych uczuć ludzie tacy powinni jednak unikać dziedzin pracy, w których afirmacja narodowa staje się rzeczą niezbędną.»"

***

Z „reklam" i ogłoszeń:

Wrocławskie Zakłady Metalowe PT ALWRO, Wrocław, ul. Karwińska 1, tel. 389-45 oferują natychmiastową dostawę ŁAWEK PARKOWYCH w cenie 615 zł. Na życzenie wysyłamy prospekty.

Przedsiębiorstwo Państwowe „UZDROWISKO BUSKO" w Busku Zdroju, ul. 1 maja 23 oferuje do natychmiastowej sprzedaży jednostkom gospodarki uspołecznionej KOMPLETNE WYPOSAŻENIE WYTWÓRNI LODU w dobrym stanie.
Ceny do uzgodnienia.

KALISKA ODLEWNIA CZĘŚCI SAMOCHODOWYCH w Kaliszu, ul. Dzierżyńskiego 20a przyjmie do wykonania na II półrocze 1968 r. „odlewy odśrodkowe tulei" z żeliwa szarego i stopowego wraz z obróbką mechaniczną, o średnicach zewnętrznych od 90-160 mm (180 mm) w seriach nie mniejszych niż 1000 szt.

INSTYTUT MATEMATYCZNY POLSKIEJ AKADEMII NAUK zawiadamia, że od 1 października 1968 r. organizuje we Wrocławiu 4-letnie studia doktoranckie z rachunku prawdopodobieństwa.

RZESZOWSKIE PRZEDSIĘBIORSTWO PRODUKCJI LEŚNEJ „LAS" W PRZEMYŚLU ul. Grunwaldzka 15 wykonuje KLINY DREWNIANE POD KOŁA w każdym wymiarze i każdej ilości. Ceny ogólnie obowiązujące przedsiębiorstwa państwowe.

SKRZYNIE ze sklejki i płyt pilśniowych bez pośrednictwa biur zbytu drewna wykonuje seryjnie PRZEDSIĘBIORSTWO PRODUKCJI DOMÓW WYTWARZANYCH FABRYCZNIE W SĘPÓLNIE KR. ul. T. Kościuszki 15 tel. 15

PAŃSTWOWY OŚRODEK MASZYNOWY w Pieniężnie zawiadamia, że w ramach luzów produkcyjnych przyjmuje jeszcze zamówienia na NAPRAWY KAPITALNE samochodów „STAR".

Naprawy dokonywane są solidnie i szybko.

MINISTERSTWO PRZEMYSŁU BUDOWY MASZYN SOCJALISTYCZNEJ REPUBLIKI RUMUNII organizuje sympozjum „Obrabiarki do skrawania metali produkowane w Rumunii" o następującej tematyce:

– Nowe metody badania sztywności obrabiarek w socjalistycznej Republice Rumunii

– Obrabiarki zespołowe i linie automatyczne
– Hartowanie prowadnic łóż tokarek i karuzelówek przy zastosowaniu podgrzewania indukcyjnego
– Obrabiarki ciężkie

Sympozja odbędą się w dniu 17 czerwca 1968 r. od godz. 9.00 w Sali Czerwonej Pałacu Działyńskich, Poznań, ul. Stary Rynek 78

***

16.05.

Manifestacja przyjaźni polsko-czechosłowackiej w czeskim Cieszynie.

Jesteśmy zjednoczeni wspólnotą idei marksizmu – leninizmu. Przemówienie tow. Edwarda Gierka.

Nie pójdziemy żadną inną drogą jak tylko socjalistyczną. Przemówienie tow. Aloisa Indry. (cytaty)

Towarzysze i obywatele! Drodzy czechosłowaccy przyjaciele! (...)
Niech żyje pracowity i utalentowany naród czechosłowacki, niech kwitnie i umacnia się jego braterstwo z narodem polskim! (...)
Niech żyje jedność działania naszych bratnich partii w ich walce z międzynarodową reakcją!" (E. Gierek)

„Niech żyje Polska Zjednoczona Partia Robotnicza i rząd Polskiej Rzeczpospolitej Ludowej!
Niech żyje Komunistyczna partia Związku Radzieckiego!
Niech żyje Komunistyczna Partia Czechosłowacji!" (A. Indra)

1971

Z „reklam" i ogłoszeń

SIEDLECKIE PRZEDSIĘBIORSTWO Budowlane, Siedlce ul. Świerczewskiego 45 tel. 4134 ZAKUPI NATYCHMIAST KOMIN STALOWY Z BLACHY 4 mm wysokość 20 m.

PRENUMERATA PRASY RADZIECKIEJ zapewni ci aktualną informację ze wszystkich dziedzin życia i wiedzy.
Zamówienia na rok 1972 przyjmują oddziały „Ruch", Kluby Międzynarodowej Prasy i Książki „Ruch" i Urzędy Pocztowe.

W miesiącu oszczędności najmilszym podarunkiem jest PREMIOWY BON OSZCZĘDNOŚCIOWY PKO.

PIŁY TARCZOWE typ PTM-100 do CIĘCIA MIĘSA I KOŚCI sprzeda z nadwyżek bieżącej produkcji Spółdzielnia Pracy Elektryków Specjalistów „SPES" w Łodzi ul. Narutowicza 24, tel. 275-51

SPRÓBUJ GRAĆ
Najwięksi ludzie szukali odprężenia w muzyce. Pierwsza wpłata na AKORDEON produkcji krajowej wynosi tylko 5 proc. Rata miesięczna 200zł.

MARGARYNA w kuchni i na stole.

UWAGA! WYTWÓRNIA URZĄDZEŃ KOMUNALNYCH „WUKO"
Wschowa, ul. Obrońców Warszawy 26 województwo zielonogórskie upłynni natychmiast 500 KOMPLETÓW fabrycznie nowych dętek i opon 10-15 8 PR.

„MAJA" czy MASŁO? – ten sam smak, a jaka oszczędność!

Upominek dla każdego oferują SPÓŁDZIELCZE DOMY HANDLOWE I SKLEPY „SPOŁEM".

Krótki komentarz:
Konsumpcja w PRL-u miała, jak wiadomo, charakter dosyć osobliwy. Jej przedmiotem były w najlepszym razie tandetne imitacje towarów zachodnich. 15 listopada 1971 roku otwarto w Krakowie wystawę bubli. Zwiedzający mieli okazję obejrzeć między innymi: słoiki ze zgniłą mizerią, dżem owocowy z piaskiem, płaszcz z dwoma lewymi rękawami, kurtki z rękawami wszytymi tyłem do przodu i wagę, która nie ważyła (zob. *Kartki z PRL-u...*, T. 2, s.24). W latach siedemdziesiątych na skutek problemów gospodarczych powstało wiele handlo-

wych instytucji-dziwolągów, takich chociażby, jak Zakład Szewstwa Naprawowego (w Bydgoszczy) czy Magazyn Artykułów Niechodliwych (w Toruniu) – M.R.

1976

Festiwal w Zielonej Górze. Święto radzieckiej piosenki. (10.06.)

Przy ogłuszających brawach wielotysięcznej widowni i prawdziwym szturmie na kasy amfiteatru rozpoczął się w Zielonej Górze XII Festiwal Piosenki Radzieckiej.

O tytuły najlepszych współzawodniczy w tym roku 28 solistów i 11 zespołów, wybranych drogą eliminacji na konkursach-przeglądach w Inowrocławiu, Tarnowie i Radomiu.

Ta gigantyczna, bez przesady, impreza objęła w br. ponad 100 tys. młodych ludzi – uczniów, studentów, pracowników najrozmaitszych zawodów. Najlepsi wykonają w Zielonej Górze po dwie piosenki. Towarzyszą im połączone orkiestry Teatru Muzycznego na Targówku (z Warszawy) oraz Filharmonii Zielonogórskiej, występujące pod dyrekcją Czesława Majewskiego. Koncerty prowadzą znani prezenterzy – Krystyna Loska i Jan Suzin.

„Małą inauguracją" festiwalu był niezwykle interesujący III dziecięcy festyn piosenki Kraju Rad, sympatyczna impreza, w której dziesiątki najmłodszych piosenkarzy i wykonawców z zapałem i wdziękiem wciągało do zabawy widownię. Przebojem festynu stała się piosenka *Razem, razem...*, której refren nuci dziś cała Zielona Góra.

Laureaci Festiwalu Piosenki Radzieckiej w Zielonej Górze. (12-13.06.)

11 bm., w trzecim dniu XII Festiwalu Piosenki Radzieckiej w Zielonej Górze, widownia usłyszała w programie tradycyjnego „Koncertu przyjaźni" wiele ulubionych melodii w wykonaniu gwiazd polskiej i radzieckiej estrady.

Na koncert przybyli: członek Biura Politycznego, sekretarz KC PZPR, przewodniczący ZGTPP-R – Jan Szydlak, sekretarz KC PZPR – Wincenty Kraśko oraz gospodarze województwa.

Obecny był ambasador ZSRR w Polsce – Stanisław Piłotowicz.

W pierwszej części koncertu ze swymi piosenkami wystąpili artyści estradowi ZSRR i Polski, a wśród nich Jelena Boboriko, Edward Chil, Jaak Joala, Igor Słastienko oraz zespół „Akwarele".

(...)

Główne nagrody otrzymali:
1 miejsce „Złoty samowar" – nagroda przewodniczącego Zarządu Głównego TPPR – Renata Danel z woj. katowickiego.

2 miejsce ex aequo – „Srebrny samowar" – nagroda Ministerstwa Kultury i Sztuki PRL – Bożena Stolarzak z Zielonej Góry i „Srebrny samowar" – nagroda Ministerstwa Kultury ZSRR – Leszek Trześniewski z woj. radomskiego.
3 miejsce – „Brązowy samowar" – nagroda Przewodniczącego CRZZ – zespół „Falstart" z woj. krakowskiego.

***

Wieczorem, w piątek 25 czerwca Prezes Rady Ministrów, Piotr Jaroszewicz, złożył przed mikrofonami radia i telewizji oświadczenie, w którym poinformował społeczeństwo o, jak to eufemistycznie ujął, „zmianie cen detalicznych podstawowych artykułów spożywczych". W istocie chodziło o radykalną podwyżkę cen, która spowodowała falę protestów społecznych (przyp. M.R.).

Nagłówki z 28.06.:

Na masowych wiecach polska klasa robotnicza wyraża pełne poparcie dla polityki partii i jej I Sekretarza, dla rządu i premiera. Listy i depesze do tow. Edwarda Gierka i tow. Piotra Jaroszewicza.
„Zapewniamy, że pracą będziemy przyczyniać się do rozwoju ojczyzny"

„Jesteśmy za dalszą konsekwentną realizacją programu VII Zjazdu”
„Nie pozwolimy, aby warcholskie elementy niszczyły nasz dorobek”
„Jedynie słuszna droga, to droga dynamicznego rozwoju kraju”.

29.06.

Pełna aprobata ludzi pracy dla polityki partii i państwa. Realizując konsekwentnie program VII Zjazdu, będziemy pomnażać siły naszego kraju.

30.06.

Ludzie pracy miast i wsi popierają politykę partii. Konsekwentnie i zdecydowanie wcielać będziemy w życie wszechstronny program rozwoju kraju.

W lipcu 1976 roku rozpoczęto represje wobec uczestników robotniczych protestów. Reakcją środowisk opozycyjnych na działania władz było powołanie do istnienia Komitetu Obrony Robotników (IX 1976), do którego należeli między innymi Jacek Kuroń, Jan Józef Lipski, Jerzy Andrzejewski, Stanisław Barańczak i Antoni Macierewicz – M.R.

W trosce o oświatę

„Młody Technik" uczy i wychowuje (1950-1953)

Polska młodzież robotnicza korzysta z komsomolskich doświadczeń. (fragment)

W wielkiej moskiewskiej fabryce, „Komuna Paryska", pracuje od kilku lat komsomołka – Lidia Korabielnikowa. Zaczęła pracę jako zwykła robotnica, ukończyła szkołę stachanowską i została kierowniczką brygady komsomolskiej w dziale obuwia dziecięcego.

Pracując pod kierunkiem starych, wykwalifikowanych mistrzów swojej fabryki, rzuciła inicjatywę tzw. kompleksowej oszczędności. Brygada oszczędzała przez cały miesiąc proporcjonalnie równe ilości składników buta, a więc skórę zelówkową i zwykłą, klej, nici, wściółki, czernidło. Codziennie po pracy brygadierka i magazynier oddziału obliczali dzienną oszczędność. Pod koniec miesiąca następuje „dzień pracy przy zamkniętym magazynie". Cała brygada pracuje tylko na tym surowcu, który zaoszczędziła w ciągu miesiąca. Dziecinne buciki powstają „z niczego", z rezerw surowcowych nie ujętych planem, a odkrytych przez komsomolców (...)

Podjęcie przez polską młodzież robotniczą tego wezwania, które objęło już i wielu starszych robotników, przynosi państwu setki tysięcy złotych oszczędności. (A.P.)

***

Pierwsza wśród najlepszych (fragment)

Był koniec 1949 roku. Coraz szerzej rozpościerał się nowo wybudowanymi domami Muranów. Z każdym tygodniem plac budowy stawał się większy, z każdym dniem wzrastało tempo budowy nowego Muranowa – pełnego słońca, zieleni i kwiatów – osiedla przeznaczonego na 50 tysięcy mieszkańców.

Stanisława Szarlińska, córka warszawskiego robotnika, z dumą i radością patrzyła, jak rosły wznoszone rękami towarzyszy ojca mury domów; jak wzrastała ilość domów oddanych do użytkowania ludziom pracy. Pewnego dnia kol. Szarlińska zgłosiła się na budowę. Zapragnęła sama przyczynić się do jeszcze szybszego tempa budownictwa. Przestała zazdrościć murarzom. Sama ujęła w rękę kielnię i młotek, pion i zacieraczkę. Sama poczęła skracać terminy oddania domów do użytku. (...)

Koleżanka Szarlińska pokochała swą pracę już wówczas na Muranowie. Później spotkało ją zaszczytne wyróżnienie i rozpoczęła pracę przy budowie domu Polskiej Zjednoczonej Partii Robotniczej. Przykład towarzyszy-murarzy i innych robotników wzniecił w niej zapał do jeszcze wydajniejszego wysiłku, do korzystania z doświadczeń starszych kolegów. Z każdym dniem, dzięki umiejętnemu wykorzystaniu czasu pracy, dzięki współpracy z transportowcami i pomocnikami wzrasta wydajność kol. Szarlińskiej. Początkowo, po powrocie z kursu zawodowego murarskiego, kol. Szarlińska wykonywała niewiele ponad normę. Właściwie uczyła się jeszcze. Po kilku tygodniach krzywa, wskazująca procent wykonanej normy, zaczyna wzrastać, by przy wznoszeniu murów Domu Partii osiągnąć 175%. Przy budowie Marszałkowskiej Dzielnicy Mieszkaniowej krzywa wzrasta nadal: 180% – 200% normy przy bloku 7A, 220% przy bloku 7B, a 235% notuje mistrz kol. Szarlińskiej w miarę postępów budowy przedszkola.

Świadomość, że to dla siebie, dla takich, jak ona, ludzi pracy, że sprawie pokoju i socjalizmu służy jej praca, powoduje, że kol. Szarlińska pracuje coraz lepiej, że wydajność wzrasta, że zmniejsza się tym samym koszt każdego wznoszonego domu. (...) S.L.

***

Polskie wynalazki filmowe (fragment)

Na wstępie należy zaznaczyć, że niesłuszne i niesprawiedliwe jest przypisywanie pierwszeństwa wynalazku kinematografu braciom Lumière, jak to czyni burżuazyjna historiografia zachodnia. Prototyp kinematografu, tj. aparatu do zdjęć filmowych i projekcji, opartego na mechanizmie skokowym, służącym do równomiernego przesuwu taśmy, skonstruowali jeszcze wcześniej prof. N. A. Lubimow i mech. I. A. Timczenko w Rosji, demonstrując swój wynalazek w dniu 9 stycznia 1894 r. na VI posiedzeniu Sekcji Fizyki IX Zjazdu Rosyjskich Przyrodników i Lekarzy w Moskwie (patent braci Lumière nosił datę 13. II. 1895 r.).

W tym samym czasie nad konstrukcją kinematografu pracował także Polak, który w końcu 1894 r. zbudował również aparat do zdjęć filmowych i projekcji i nazwał go „pleograf". Tym wynalazcą był inż. Kazimierz Prószyński, urodzony w Warszawie, syn Promyka (pseud.), znanego działacza oświatowego przed I wojną światową (elementarze Promyka). (...) W.J.

***

Jak powstają opony (fragmenty)

Ogumione koło jezdne to wynalazek, który w znacznej mierze przyczynił się do szybkiego rozwoju wszystkich nowoczesnych pojazdów, a przede wszystkim samochodów. (...)

Polska produkcja opon postawiona jest na dobrym poziomie i dzięki wydajnej pomocy surowcowej w postaci kauczuku, który otrzymujemy ze Związku Radzieckiego, rozwija się nadal bardzo pomyślnie.

Najlepszym tego przykładem są liczby. Plan 6-letni przewiduje 4-krotne w stosunku do roku 1949 zwiększenie produkcji gumy, przy czym opony stanowić będą 50% tej produkcji. (...)

Nasze instytuty badawcze wciąż pracują nad udoskonaleniem metod produkcji i jakości opon. Badania te są teraz specjalnie aktualne, bo przecież w planie 6-letnim produkować będziemy znaczną ilość samochodów, motocykli i rowerów, a zatem i opon, przy czym produkcja odbywać się będzie częściowo już na naszym własnym kauczuku syntetycznym, którego fabryki już powstają. (...)

Nasze doskonałe opony wyrabiane na polskim kauczuku syntetycznym i polskim sztucznym jedwabiu – to dalsze zwycięstwo naszego młodego, socjalistycznego przemysłu chemicznego. (R.O.)

***

Tor przeszkód (z rubryki „Sport"), fragment

17 kwietnia br. upłynął rok od uchwały Rady Ministrów w sprawie ustanowienia odznaki „Sprawny do Pracy i Obrony". Wprowadzenie tej odznaki jest dowodem, jak wielką wagę przywiązuje Rząd Polski Ludowej do wychowania fizycznego i sportu. Celem odznaki SPO jest:

– upowszechnienie wychowania fizycznego wśród ludności, poczynając od wieku dziecięcego

– podniesienie stanu zdrowotności

– zapewnienie wszechstronnego rozwoju fizycznego obywateli i przygotowanie ich do wydajnej pracy i obrony Ludowej Ojczyzny.

Jasno określony cel odznaki SPO znalazł pełne zrozumienie w społeczeństwie. Boiska miast i wsi wypełniły się młodzieżą i dorosłymi. Zakłady pracy, szkoły, prowadzą współzawodnictwo w zaszczytnym zdobywaniu odznaki SPO. (...)

Regulamin odznaki SPO przewiduje między innymi przebycie w odpowiednim czasie toru przeszkód. Tor przeszkód zaliczony jest do ćwiczeń obowiązkowych. Urządzenie toru możemy sami wykonać, przez co umożliwimy większej ilości młodzieży prowadzenie treningów i wykonywanie prób na odznakę SPO.

Do urządzenia toru przeszkód potrzebny jest teren długości 160 m i szerokości 8 do 10 m. Wybrany teren powinien być równy i jeżeli jest to możliwe, trawiasty. Na osi przedłużonej terenu budujemy i ustawiamy w ustalonych odległościach przeszkody. Cały tor posiada 9 następujących przeszkód: 1) zasieki z drutu gładkiego, 2) równoważnię, 3) żywopłot, 4) parkan, 5) płotek żerdziowy, 6) linię do rzutu granatem, 7) rów do przeskoku, 8) rów do zeskoku w głąb, 9) manekiny (...)

W dalszej części znajduje się szczegółowy opis, jak wykonać „przeszkody" – M.R.

(...) ósmą przeszkodą jest rów do zeskoku w głąb, który służy jednocześnie jako cel do rzutu granatem. Jest on oddalony od poprzedniej przeszkody o 20 m i ma na powierzchni: 4 m długości, 4 m szerokości. Kąt nachylenia pochylni wynosi 45 stopni. Po dokładnym wyrysowaniu wymiarów należy rozpocząć kopanie. Jeżeli teren jest trawiasty, to należy ostrożnie zdjąć darń, wycinając ją kwadratami o boku 0,5 m. Darniną tą można wyłożyć utworzoną pochylnię do wyjścia z rowu. Wykop rowu należy zaczynać od uformowania ściany prostopadłej, a następnie przejść do robienia pochylni. (...)

Dziewiąta przeszkoda – manekiny – jest oddalona od poprzedniej o 18 m i składa się z 3 manekinów. Manekin sporządzony jest z żerdzi, listewek, wikliny, słomy lub siana i tkaniny jutowej (worek).

Żerdź o długości 215 cm umocowujemy w ziemi na głębokości 50 cm. Do umocowanej żerdzi – w odległości 35, 70, 150 cm od górnej krawędzi – przymocowujemy obustronnie dwie poprzeczki długości 40 cm i grubości 2,5 cm. Następnie należy przepleść wiklinę tak, by w części środkowej u góry wiklina wystawała 20 cm ponad górną poprzeczkę dla nadania grubości szyi. Resztę powierzchni tułowia należy wypleść wikliną tak, ażeby sięgała ona po 10 cm poza poprzeczkami. Przy szyi ściągamy wiklinę drutem. W odległości 10 cm od górnej krawędzi żerdzi umocowujemy kilka patyków długości 20 cm. Przestrzeń między listewkami wypełniamy sianem, nadając jej kształt kulisty. Tułów podobnie wypełniamy sianem i obciągamy go workiem oraz zaszywamy. Po dobrym uformowaniu głowy i szyi również obszywamy je materiałem z worka. Manekiny ustawiamy w odległości 8 m od siebie w linii łamanej. (K.Z.)

Do artykułu dołączona jest „Tabela do oznaczenia odległości rzutu granatem".

Płeć	Kobiety			Mężczyźni			
Wiek	17-18	19-25	26-32	17-18	19-29	30-39	od 40
Odległość w metrach	20	22	18	36	38	35	30

***

M-20 Warszawa (fragment)

Tempo rozbudowy Warszawy jest zadziwiające. W przeciągu krótkiego czasu powstały całe nowe osiedla mieszkaniowe, wspaniałe gmachy, trasa W-Z, plac MDM, a od metra dzieli nas już tylko rozwój budownictwa miejskiego. Równie szybko wzrasta stolica – jako wielkie centrum naszego przemysłu. Widomym znakiem tego rozwoju są małe tabliczki na maskach pierwszych naszych samochodów osobowych „M-20 Warszawa". Codziennie sznur nowych „Warszaw" opuszcza mury potężnej fabryki żerańskiej. Podobnie jak każdy warszawski nowy dom, każdy z tych samochodów jest wyrazem naszej woli twórczej pracy dla pokoju, dla polepszenia bytu mas pracujących. Każdy z tych pięknych samochodów jest przy tym jakże wymownym przykładem pomocy, której nie szczędzi nam wielki Kraj Rad. Ze Związku Radzieckiego otrzymaliśmy gotowe do produkcji rysunki tego modelu i nowoczesny park maszynowy fabryki. Dowodem wdzięczności załogi FSO za tę bezcenną pomoc było zobowiązanie do wyprodukowania pierwszego samochodu na dzień 34 rocznicy Wielkiej Rewolucji Październikowej. (...)

„Warszawa" jest samochodem na wskroś nowoczesnym, wskazuje na to już sama sylwetka o opływowych kształtach i schowanych reflektorach.

Wielkość wozu czyni go odpowiednim dla użytku „służbowego", 5-osobowe obszerne wnętrze wozu i otwierany z tyłu duży bagażnik umożliwia bardzo wygodną jazdę. Silnik o mocy 50 KM nie pozwala wprawdzie na osiągnięcie „zawrotnej" szybkości, jest jednak bardzo ekonomiczny (zużycie paliwa na 100 km – 13,5 litra – przyp. M.R.) i może zapewnić w czasie dłuższych przejazdów szybkość około 100 km/godz. (Z.K.)

***

W pierwszomajowym pochodzie (fragment)

Dzień 1 Maja, święto klasy robotniczej całego świata, miliony ludzi obchodzą jako najuroczystszy dzień w roku.

W krajach skutych kajdanami dolara nadejście tego dnia poprzedzają aresztowania, napady na lokale organizacji robotniczych, rozporządzenia zabraniające organizowania manifestacji 1-majowych. Tam 1 Maja jest jeszcze świętem walki o prawa ludu roboczego.

U nas jest już świętem zwycięstwa. Czcimy je czynami produkcyjnymi, pracą, która jeszcze bardziej wzmocni siły naszej ojczyzny. W dniu święta dokonujemy przeglądu naszych osiągnięć. Radujemy się nimi. Gdy w majowy ranek wychodzimy na place i ulice, i włączamy się w fale radosnych, roześmianych ludzi, przenika nas uczucie słusznej dumy, radość i zadowolenie. Idąc odświętnie udekorowanymi ulicami, słuchamy słów płynących z głośników. Padają cyfry, nazwy miejscowości do niedawna nie znane – dziś głośne na cały świat.

Wielkie budowle komunizmu...

O 16 procent wyższa niż w ubiegłym roku produkcja...

Tysiące nowych zakładów pracy...
Mechanizacja procesów wytwórczych...
Bliskie są nam osiągnięcia naszego przyjaciela – Związku Radzieckiego. Wskazują nam drogę przyszłości naszego narodu, pomagają nam w pokonywaniu trudności, w realizacji naszych niełatwych zadań (...)
Rośnie nasza siła... Coraz bliższe staje się nowe, socjalistyczne życie... Kroczymy w jednym szeregu, jedną drogą obok bratniej Niemieckiej Republiki Demokratycznej, Czechosłowacji, Węgier, Rumunii, Bułgarii, Albanii. Z podziwem myślimy o naszych chińskich towarzyszach dźwigających swój kraj z wiekowego zacofania i równocześnie wspierających walkę narodu koreańskiego z imperializmem amerykańskim.
I w dniu 1 Maja wyrażamy naszą solidarność z wszystkimi ludźmi walczącymi z kapitalistyczną przemocą, życząc im, by i ich narody jak najszybciej dołączyły do naszego zwycięskiego pochodu.

***

Wiejscy racjonalizatorzy i ich „STONKOMÓR” (fragmenty)

W warsztatach zespołu PGR Ośno Lubuskie pracuje dwóch mechaników: Wilhelm Górny i Wiktor Błotko. Ci dwaj młodzi ludzie są mechanikami z prawdziwego zdarzenia. Praca zawodowa odpowiada całkowicie ich zamiłowaniom i mają w niej nieprzeciętne osiągnięcia. O jednym ich osiągnięciu, mianowicie o konstrukcji nowego aparatu do zwalczania szkodników roślin, opowiemy poniżej.

Wiosną br. na polach rzepakowych w woj. zielonogórskim pojawił się szkodnik, mały chrząszczyk, tzw. słodyszek rzepakowy, niszczący rzepak. Wydział Ochrony Roślin przy Wojewódzkiej Radzie Narodowej w Zielonej Górze podjął akcję jego zwalczania.

W POM-ach i PGR-ach zastosowano w tej akcji najrozmaitsze chwytacze i opylacze, ale wszystko to okazało się niedostateczne. Słodyszek zagrażał plantacjom rośliny oleistej coraz bardziej.

– Gdybyśmy mieli radzieckie opylacze, to szybko dalibyśmy sobie radę z tymi szkodnikami – powiedział kiedyś w rozmowie z Wilhelmem Górnym i Wiktorem Błotką kierownik wydziału ochrony roślin z Okręgowego Zarządu PGR w Gorzowie. – Niestety, zamówiliśmy je zbyt późno i zanim przyjdą, nasz rzepak może przepaść. (...)

Wtedy Górny i Błotko na dłuższą chwilę umilkli. Wreszcie spojrzeli jeden na drugiego:

– Cóż? Może byśmy spróbowali sami zrobić taki aparat podobny do radzieckiego?

– Spróbujcie – wtrącił dyrektor zespołu PGR – warsztat jest do dyspozycji.

W ten sposób młodzi mechanicy podjęli się opracowania ważnego tematu racjonalizatorskiego.

(...)

Nastąpił okres niezwykle wytężonej pracy. Aparat budowali racjonalizatorzy we dwóch. Po niespełna miesiącu wykonali pierwszą próbę. Wypadła pomyślnie. Z wielkiego wylotu rury przewodowej walił potężny tuman pyłu owadobójczego.

Próba wykonana na miejscu w warsztacie wytruła wszystkie okoliczne muchy. Pojechano na pole rzepakowe. W piętnaście minut opylono 8 ha. Aparat działał bez zarzutu (...).

Wkrótce na wszystkich okolicznych polach wyniszczono słodyszka rzepakowego.

Jeden poważny wróg roślin został pokonany. Ale aktualna stała się walka z drugim, jeszcze groźniejszym – stonką. Pewnego więc dnia zapytał Górny swego współkonstruktora:

– Jak myślisz, dostosujemy nasz aparat do zwalczania stonki?

– Dobra myśl, tylko jak? – odpowiedział Błotko.

(...)

Przez ulepszenie poprzedniego urządzenia powstał oryginalny aparat do rozpylania proszków owadobójczych, tzw. „stonkomór".

(...)

Obecnie w Warsztatach Naprawczych PGR w Żarach wykonuje się serię tych aparatów, które zastąpią setki ludzi przy niszczeniu tego szkodnika – stonki.

Wilhelm Górny i Wiktor Błotko nie spoczęli na laurach. Pracują teraz nad nową maszyną – nad kombajnem ziemniaczanym. Jednak do chwili ukończenia konstrukcji nie chcą zdradzać swego pomysłu. (A.M.)

Z programu nauczania (1963)

ZAŁOŻENIA ORGANIZACYJNE I PROGRAMOWE OŚMIOKLASOWEJ SZKOŁY PODSTAWOWEJ

CELE I ZADANIA SZKOŁY PODSTAWOWEJ

Ośmioklasowa szkoła podstawowa stanowi podbudowę całego systemu kształcenia i wychowania w Polskiej Rzeczypospolitej Ludowej. Zapewnia ona młodzieży jednolite wykształcenie, obejmujące wiedzę o przyrodzie i życiu społecznym, o dziejach i kulturze narodu i ludzkości, wstępne zaznajomienie z techniką oraz przysposobienie do pracy i udziału w życiu społecznym i kulturalnym, a także przygotowanie do nauki w zasadniczych szkołach zawodowych i technikach, w liceach ogólnokształcących i zawodowych oraz do dalszego kształcenia się i zdobywania kwalifikacji w procesie pracy zawodowej.

Nauczanie i wychowanie w ośmioklasowej szkole podstawowej ma na celu wszechstronny rozwój uczniów i wychowanie ich na świadomych i twórczych obywateli Polskiej Rzeczypospolitej Ludowej, a w szczególności:

– ukształtowanie podstaw naukowego poglądu na świat,

– wychowanie w duchu socjalistycznej moralności i socjalistycznych zasad współżycia społecznego, w duchu umiłowania Ludowej Ojczyzny, pokoju, sprawiedliwości społecznej i braterstwa z ludźmi pracy wszystkich krajów,

– ukształtowanie przekonania o społecznej, ekonomicznej i moralnej wyższości socjalistycznego ustroju społecznego nad ustrojem kapitalistycznym,
– przygotowanie do czynnego udziału w socjalistycznej gospodarce i kulturze, kształtowanie zamiłowania i szacunku do pracy, rozbudzanie i umacnianie poczucia obowiązku i dyscypliny społecznej, wdrażanie do poszanowania mienia narodowego.

JĘZYK POLSKI

Nauczanie języka polskiego odgrywa doniosłą rolę we wszechstronnym rozwoju uczniów. Umiejętność sprawnego władania językiem ojczystym jest niezbędnym warunkiem powodzenia w nauce i aktywnego udziału w życiu społecznym.

Język polski jako przedmiot nauczania ma szczególne walory ideowo-wychowawcze: wiąże młodzież z Polską Ludową, kształtuje postawę zaangażowania społecznego oraz gotowość do kontynuowania dzieła budownictwa socjalistycznego.

Ucząc języka polskiego, umożliwia się uczniom poznanie świata i człowieka, zagadnień światopoglądowych i społeczno-moralnych, wyrabia się zalety charakteru, ważne z uwagi na współżycie z ludźmi i działalność społeczną, budzi się przywiązanie do kultury narodowej i literatury ojczystej, wyrabia odpowiedzialność za słowo, dbałość o poprawność i estetykę wypowiedzi, wdraża do logicznego myślenia, kształci smak artystyczny.

Zadaniem języka polskiego jako przedmiotu nauczania w szkole podstawowej jest osiągnięcie wymienionych celów wychowawczych oraz:

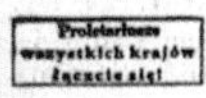

Trybuna Ludu

Organ KC Polskiej Zjednoczonej Partii Robotniczej

NR 65 (1461) ROK VI — WARSZAWA — PIĄTEK 6 MARCA 1953 R. — WYDANIE F — CENA 20 gr.

Przestało bić serce wodza ludzkości — Wielkiego Stalina

Od Komitetu Centralnego Komunistycznej Partii Związku Radzieckiego Rady Ministrów Związku Socjalistycznych Republik Radzieckich i Prezydium Rady Najwyższej ZSRR

Do wszystkich członków Partii, do wszystkich ludzi pracy Związku Radzieckiego

Drodzy Towarzysze i Przyjaciele!

Komitet Centralny Komunistycznej Partii Związku Radzieckiego, Rada Ministrów Związku Socjalistycznych Republik Radzieckich i Prezydium Rady Najwyższej ZSRR z uczuciem głębokiego bólu powiadamiają partię i wszystkich ludzi pracy Związku Radzieckiego, że 5 marca o godzinie dziewiątej minut pięćdziesiąt wieczorem, po ciężkiej chorobie zakończył życie Przewodniczący Rady Ministrów Związku Socjalistycznych Republik Radzieckich i Sekretarz Komitetu Centralnego Komunistycznej Partii Związku Radzieckiego, Józef Wissarionowicz Stalin.

Przestało bić serce współbojownika i genialnego kontynuatora dzieła Lenina, mądrego Wodza i Nauczyciela Partii Komunistycznej i narodu radzieckiego — Józefa Wissarionowicza Stalina.

Imię Stalina jest bezgranicznie drogie naszej partii, narodowi radzieckiemu, masom pracującym na całym świecie. Wraz z Leninem towarzysz Stalin stworzył potężną partię komunistów, wychował ją i zahartował; wraz z Leninem towarzysz Stalin był źródłem natchnienia i wodzem Wielkiej Socjalistycznej Rewolucji Październikowej, założycielem pierwszego na świecie państwa socjalistycznego. Kontynuując nieśmiertelne dzieło Lenina, towarzysz Stalin poprowadził naród radziecki do historycznego w skali światowej zwycięstwa socjalizmu w naszym kraju. Towarzysz Stalin poprowadził nasz kraj do zwycięstwa nad faszyzmem w drugiej wojnie światowej, co w sposób zasadniczy zmieniło całą sytuację międzynarodową. Towarzysz Stalin uzbroił partię i cały naród w wielki i jasny program budowy komunizmu w ZSRR.

Śmierć towarzysza Stalina, który oddał całe swe życie ofiarnej służbie dla wielkiej sprawy komunizmu, jest najcięższą stratą dla partii, dla mas pracujących Kraju Rad i całego świata.

Wieść o zgonie towarzysza Stalina wzbudziła głęboki ból w sercach robotników, kołchoźników, inteligencji i wszystkich ludzi pracy naszej Ojczyzny, w sercach żołnierzy naszej mężnej Armii i Marynarki Wojennej, w sercach milionów ludzi pracy we wszystkich krajach świata. W tych dniach pełnych bólu wszystkie bratnie narody naszego kraju jeszcze bardziej zespalają się w wielkiej zwartej rodzinie pod wypróbowanym kierownictwem partii komunistycznej, stworzonej i wychowanej przez Lenina i Stalina.

Naród radziecki żywi bezgraniczne zaufanie i przepojony jest gorącą miłością do swej ukochanej partii komunistycznej, bo wie, że służenie interesom narodu jest najwyższym prawem całej działalności partii.

Robotnicy, kołchoźnicy, inteligencja radziecka, wszyscy ludzie pracy naszego kraju niezłomnie realizują politykę, opracowaną przez naszą partię, odpowiadającą żywotnym interesom mas pracujących, zmierzającą do dalszego wzrostu potęgi naszej socjalistycznej ojczyzny. Słuszność tej polityki partii komunistycznej potwierdzona została przez dziesięciolecia walki, doprowadziła ona masy pracujące Kraju Rad do historycznych zwycięstw socjalizmu. Natchnione tą polityką narody Związku Radzieckiego pod kierownictwem partii niezachwianie kroczą naprzód ku nowym sukcesom budownictwa komunistycznego w naszym kraju. Masy pracujące naszego kraju wiedzą, że dalsza poprawa dobrobytu materialnego wszystkich warstw ludności — robotników, kołchoźników, inteligencji, maksymalne zaspokajanie stale rosnących potrzeb materialnych i kulturalnych całego społeczeństwa zawsze było i jest przedmiotem szczególnej troski Partii Komunistycznej i Rządu Radzieckiego.

Naród radziecki wie, że wzrasta i krzepnie zdolność obronna i potęga państwa radzieckiego, że partia ze wszech miar umacnia Armię Radziecką, Marynarkę Wojenną i organa wywiadu, aby stale wzmagać naszą gotowość do udzielenia druzgocącej odprawy każdemu agresorowi.

Polityka zagraniczna Partii Komunistycznej i Rządu Związku Radzieckiego była i jest niewzruszoną polityką utrzymania i utrwalenia pokoju, polityką walki przeciwko przygotowywaniu i rozpętywaniu nowej wojny, polityką współpracy międzynarodowej i rozwoju stosunków handlowych ze wszystkimi krajami.

Narody Związku Radzieckiego, wierne sztandarowi proletariackiego internacjonalizmu, umacniają i rozwijają braterską przyjaźń z wielkim narodem chińskim, z masami pracującymi wszystkich krajów demokracji ludowej, więzy przyjaźni z masami pracującymi krajów kapitalistycznych i kolonialnych, walczącymi o sprawę pokoju, demokracji i socjalizmu.

Drodzy towarzysze i przyjaciele! Wielką siłą przewodnią i kierowniczą narodu radzieckiego w walce o zbudowanie komunizmu jest nasza Partia Komunistyczna. Żelazna jedność i niewzruszona zwartość szeregów partii — to główny warunek jej siły i potęgi. Zadaniem naszym jest strzec jedności partii jak źrenicy oka, wychowywać komunistów na aktywnych bojowników politycznych o wcielenie w życie polityki i uchwał partii, wzmacniać jeszcze bardziej więź partii z wszystkimi ludźmi pracy, z robotnikami, kołchoźnikami, inteligencją, albowiem w tej nierozerwalnej więzi z narodem tkwi siła i niezwyciężoność naszej partii.

Partia widzi jedno ze swych najważniejszych zadań w tym, aby wychowywać komunistów i wszystkich ludzi pracy w duchu wysokiej czujności politycznej, w duchu nieprzejednania i niezłomności w walce z wrogami wewnętrznymi i zewnętrznymi.

Komitet Centralny Komunistycznej Partii Związku Radzieckiego, Rada Ministrów Związku Socjalistycznych Republik Radzieckich i Prezydium Rady Najwyższej ZSRR, zwracając się w tych bolesnych dniach do partii i narodu, wyrażają niezłomne przekonanie, że partia i wszyscy ludzie pracy naszej ojczyzny zespolą się jeszcze bardziej wokół Komitetu Centralnego i Rządu Radzieckiego, zmobilizują wszystkie swe siły i energię twórczą do realizacji wielkiego dzieła budowy komunizmu w naszym kraju.

Nieśmiertelne imię Stalina żyć będzie zawsze w sercach narodu radzieckiego i całej postępowej ludzkości.

Niech żyje wielka niezwyciężona nauka Marksa – Engelsa – Lenina – Stalina! Niech żyje nasza potężna Ojczyzna socjalistyczna! Niech żyje nasz bohaterski naród radziecki! Niech żyje wielka Komunistyczna Partia Związku Radzieckiego!

KOMITET CENTRALNY KOMUNISTYCZNEJ PARTII ZWIĄZKU RADZIECKIEGO

RADA MINISTRÓW ZWIĄZKU SOCJALISTYCZNYCH REPUBLIK RADZIECKICH

PREZYDIUM RADY NAJWYŻSZEJ ZWIĄZKU SOCJALISTYCZNYCH REPUBLIK RADZIECKICH

Dnia 5 marca 1953 roku.

Do Robotników, Chłopów i Inteligencji Pracującej!
Do Kobiet Polskich i Młodzieży!
Do Żołnierzy Polskich!
Do Narodu Polskiego!

Towarzysze i Obywatele!

KOMITET CENTRALNY POLSKIEJ ZJEDNOCZONEJ PARTII ROBOTNICZEJ

RADA MINISTRÓW POLSKIEJ RZECZYPOSPOLITEJ LUDOWEJ

RADA PAŃSTWA POLSKIEJ RZECZYPOSPOLITEJ LUDOWEJ

Warszawa, dnia 6 marca 1953 r.

Do Komitetu Centralnego Komunistycznej Partii Związku Radzieckiego
Do Rady Ministrów Związku Socjalistycznych Republik Radzieckich
Do Prezydium Rady Najwyższej ZSRR

Moskwa

Drodzy Towarzysze i Przyjaciele!

W imieniu Komitetu Centralnego Polskiej Zjednoczonej Partii Robotniczej, Rady Ministrów i Rady Państwa Polskiej Rzeczypospolitej Ludowej

BOLESŁAW BIERUT
ALEKSANDER ZAWADZKI

Warszawa, dnia 6 marca 1953 r.

Proletariusze wszystkich krajów łączcie się!

Trybuna Ludu

Organ KC Polskiej Zjednoczonej Partii Robotniczej

Cała postępowa ludzkość chyli dziś sztandary nad trumną Wielkiego Stalina

UCHWAŁA

Rady Państwa i Rady Ministrów Polskiej Rzeczypospolitej Ludowej

o uczczeniu pamięci Józefa Stalina

STALINOGRÓD

STALINOGRODZKIE

Delegacja narodu polskiego na pogrzeb towarzysza Stalina udała się do Moskwy

Delegacji przewodniczy towarzysz Bierut

Przybycie delegacji do Moskwy

UCHWAŁA

Komitetu Centralnego Komunistycznej Partii Związku Radzieckiego i Rady Ministrów ZSRR

KOMITET CENTRALNY KOMUNISTYCZNEJ PARTII ZWIĄZKU RADZIECKIEGO

RADA MINISTRÓW ZWIĄZKU SOCJALISTYCZNYCH REPUBLIK RADZIECKICH

Dziś – manifestacja ludności Warszawy ku czci Józefa Stalina

Wezwanie Stołecznego Komitetu Frontu Narodowego

Posiedzenie Prezydium PKOP ku czci Józefa Stalina

Nieśmiertelne jest imię Stalina i Jego dzieło

Proletariusze wszystkich krajów łączcie się!

Trybuna Ludu

Organ KC Polskiej Zjednoczonej Partii Robotniczej

Żegnając Wielkiego Stalina cała postępowa ludzkość ślubuje wierność Jego nieśmiertelnym ideom

Uroczystości żałobne w Moskwie

Przemówienie G. M. Malenkowa

WYDANIE SPECJALNE

Proletariusze wszystkich krajów łączcie się!

Trybuna Ludu

Organ KC Polskiej Zjednoczonej Partii Robotniczej

WARSZAWA — SOBOTA 11 GRUDNIA 1971 R.

CENA 50 GR

VI ZJAZD PZPR ZAKOŃCZYŁ OBRADY

I Plenum nowego Komitetu Centralnego

Tow. Edward Gierek I Sekretarzem KC PZPR

W Uchwale VI Zjazdu – kierunki dalszego socjalistycznego rozwoju Polski

Dziś — po 6 dniach obrad — zakończył się w Warszawie VI Zjazd Polskiej Zjednoczonej Partii Robotniczej.

Zjazd podjął uchwałę wytyczającą kierunki dalszego, socjalistycznego rozwoju Polski.

Dziś rano nowy Komitet Centralny zebrał się na pierwsze posiedzenie plenarne, na którym dokonano wyboru nowych władz. I Sekretarzem KC został wybrany tow. Edward Gierek. Wybrano również Biuro Polityczne oraz Sekretariat KC. Komitet Centralny wyłonił także Centralną Komisję Kontroli Partyjnej.

Na zakończenie debaty zjazdowej głos zabrał tow. Edward Gierek.

BIURO POLITYCZNE KC PZPR

EDWARD GIEREK, I Sekretarz Komitetu Centralnego PZPR

EDWARD BABIUCH, Członek Biura Politycznego, sekretarz KC

HENRYK JABŁOŃSKI, Członek Biura Politycznego

MIECZYSŁAW JAGIELSKI, Członek Biura Politycznego

PIOTR JAROSZEWICZ, Członek Biura Politycznego

WOJCIECH JARUZELSKI, Członek Biura Politycznego

WŁADYSŁAW KRUCZEK, Członek Biura Politycznego

STEFAN OLSZOWSKI, Członek Biura Politycznego

FRANCISZEK SZLACHCIC, Członek Biura Politycznego, sekretarz KC

JAN SZYDLAK, Członek Biura Politycznego, sekretarz KC

JÓZEF TEJCHMA, Członek Biura Politycznego, sekretarz KC

KAZIMIERZ BARCIKOWSKI, Zastępca członka Biura Politycznego, sekretarz KC

ZDZISŁAW GRUDZIEŃ, Zastępca członka Biura Politycznego

STANISŁAW KANIA, Zastępca członka Biura Politycznego, sekretarz KC

JÓZEF KĘPA, Zastępca członka Biura Politycznego

SEKRETARZE KC   CZŁONKOWIE SEKRETARIATU

STANISŁAW KOWALCZYK, Sekretarz Komitetu Centralnego

JERZY ŁUKASZEWICZ, Sekretarz Komitetu Centralnego

RYSZARD FRELEK, Członek Sekretariatu KC

ANDRZEJ WERBLAN, Członek Sekretariatu KC

Życiorysy członków władz partyjnych – na str. 2

Składy Komitetu Centralnego, Centralnej Komisji Rewizyjnej – na str. 3

Przemówienie tow. Edwarda Gierka

TOWARZYSZE DELEGACI, SZANOWNI GOŚCIE!

PROGRAM PARTII – PROGRAMEM CAŁEGO NARODU!

Wydanie poniedziałkowe

10 stron

Trybuna Ludu

Proletariusze wszystkich krajów łączcie się!

Organ KC Polskiej Zjednoczonej Partii Robotniczej

Kraj – nazajutrz po Zjeździe Partii

Olbrzymie zainteresowanie społeczeństwa postanowieniami VI Zjazdu • Niedziela wytężonej pracy

Sympatia – poparcie – solidarność

Prasa państw socjalistycznych o ostatnim dniu VI Zjazdu

Dziś rozmowy Nixon – Pompidou

Dalsze delegacje zagraniczne opuściły Warszawę

Delegacje KP Japonii i MPK w Krakowie

Indyjski desant w okolicy Dhaki

V sprawozdawczym okresie pomiędzy zjazdami

Pierwszy kwas azotowy z „Włocławka"

Z HUTY „GŁOGÓW" PONAD PLAN

Poza domem i w miejscu zamieszkania

Jak młodzież szkolna spędzi ferie zimowe

Zima w Tatrach i Karkonoszach

Pogoda bez zmian

Trybuna Ludu

Proletariusze wszystkich krajów łączcie się!

Organ KC Polskiej Zjednoczonej Partii Robotniczej

W KRAJU PO VI ZJEŹDZIE PARTII

Wydajna praca wyrazem poparcia nakreślonego programu

Meldunki o wykonaniu planu i Czynu Zjazdowego
Spotkania delegatów z towarzyszami pracy

Warszawa

Kraków

Śląsk i Zagłębie

Dalsze delegacje bratnich partii opuściły Warszawę

Czas działania

Z prac Biura Politycznego KC PZPR

20 grudnia – II Plenum KC

Posiedzenie Rady Ministrów

Kompleksowy program działania administracji państwowej w celu sprawnej realizacji uchwał VI Zjazdu PZPR

Wydobyto 18 mln ton węgla brunatnego

Do portów morskich i stacji kolejowych

Nadchodzą już pierwsze transporty zboża z ZSRR

Łączne dostawy – 15 mln ton

Wojska indyjskie zajęły przedmieścia Dhaki

Wznowione rokowania SALT

Po spotkaniu Nixon – Pompidou na Azorach

Prezydent USA zaakceptował dewaluację dolara

Zgromadzenie Ogólne NZ uchwaliło rezolucję w sprawie Bliskiego Wschodu

Dziś powitamy w Warszawie Pabla Nerudę

Więcej słońca

PONCZOCHY PROFILAKTYCZNE

To są specjalne pończochy DLA KOBIET pracujących na stojąco, a więc np. dla tych, które:

* obsługują maszyny
* dla ekspedientek
* konduktorek
* lekarek i dentystek

Pończochy profilaktyczne przeciw zmęczeniu nóg powinny nosić także kobiety, które wiele pracują w domu. A kiedy chcą odpocząć – włożyć je również przed wyjściem na wycieczkę, zwłaszcza górską, na dłuższy spacer, lub na poszukiwanie grzybów.

Zalety pończoch profilaktycznych przeciwdziałających zmęczeniu:

zapobiegają powstawaniu żylaków

opinając nogę – łagodzą skutki zmęczenia

Te pończochy, produkowane z importowanej przędzy LYCRA, oznaczone są znakiem NAJWYŻSZEJ JAKOŚCI, ich wartości zdrowotne potwierdziły badania przeprowadzone w Łódzkiej Akademii Medycznej.

Będziesz mieć ZGRABNE I WYPOCZĘTE nogi dzięki profilaktycznym pończochom zdrowotnym przeciw zmęczeniu!

Producent: 

TELEWIZJA

SOBOTA — 6 LISTOPADA

Program I

RADIO

SOBOTA — 6 LISTOPADA

Program I

RADIO w tygodniu

W nadchodzącym tygodniu teatr radiowy zaprezentuje dziewięć słuchowisk, w tym cztery premierowe oraz pięć wznowień. Pierwszy z premierowych [illegible] „TYDZIEŃ JAK TYDZIEŃ" według opowiadania pisarki radzieckiej NATALII BARANSKIEJ (poniedziałek, 8 listopada, godz. 19.32 w pr. II). Premierę zapowiada także Teatr Polskiego Radia na wtorek 9 listopada, godz. 21.30 w pr. I. Studio Klasyczne wystąpi w tej porze ze słuchowiskiem „SYN MARNOTRAWNY" według komedii WOLTERA. I wreszcie dwie premiery zapowiedziano na niedzielę 14 listopada. O godz. 19.00 w pr. II zostanie nadane słuchowisko KAZIMIERZA STRZAŁKI „EPIZOD", a o godz. 20.20 w pr. III słuchowisko TADEUSZA MAKARCZYŃSKIEGO „PIĘKNY DZIEŃ". Pośród wznowień [illegible] w nadchodzącym tygodniu przede wszystkim środa 10 listopada. O godz. 19.15 w pr. II będzie nadane słuchowisko „PRZEBUDZENIE" — według III tomu powieści „Sława i chwała" JAROSŁAWA IWASZKIEWICZA, a o godz. 20.15 w pr. III — słuchowisko „[illegible]" według opowiadania P. G. WODEHOUSE'A w piątek 12 listopada o godz. 21.30 w pr. I Studio Współczesne wznowi słuchowisko BOHDANA DROZDOWSKIEGO „PLASTRY MIODU", a w sobotę 13 listopada o godz. 19.25 usłyszymy „NIEZNANE ARCYDZIEŁO" — wg opowiadania HONORIUSZA BALZAKA. Ostatnim z wznowień [illegible] teatru radiowego jest słuchowisko KONSTANTEGO ILDEFONSA GAŁCZYŃSKIEGO „BAL ZAKOCHANYCH CZYLI SZALONA NOC DWÓCH WARSZAWIAKÓW". Usłyszymy je w niedzielę 14 listopada o godz. 19.20 w pr. I w cyklu „Pół wieku Teatru Polskiego Radia".

Sta

TELEWIZJA w tygodniu

Niedziela — 7.XI.71 r.

PROGRAM I

PROGRAM II

Poniedziałek — 8.XI.71 r.

PROGRAM I

Wtorek — 9.XI.71 r.

PROGRAM I

PROGRAM II

Środa — 10.XI.71 r.

PROGRAM I

PROGRAM II

Czwartek — 11.XI.71 r.

PROGRAM I

PROGRAM II

Piątek — 12.XI.71 r.

PROGRAM I

PROGRAM II

Sobota — 13.XI.71 r.

PROGRAM I

PROGRAM II

TEATRY

SOBOTA — 6 LISTOPADA

KINA

SOBOTA — 6 LISTOPADA

WIELKA SPRZEDAŻ Z NAGRODAMI!

CODZIENNIE RADIOODBIORNIK ZA DARMO

INFORMACJI UDZIELAJĄ SKLEPY ZURT

R-2361

ZAKŁAD SPRZĘTU BUDOWLANEGO w Gorzowie Wlkp. ul. Fabryczna 13/17 telefon 3001, 3002

SPRZEDA następujące CZĘŚCI typu „STAR" po zmiechanizowanej produkcji:

KOŁA METALOWE

BĘBNY HAMULCOWE

PIASTY

DĘTKI

OPONY PROTEKTOROWANE oraz inne DETALE do OSI PRZEDNIEJ.

Informacji udziela w godz. 7 — 15 Dział Kooperacji, telefon wewn. 95.

R-2404

ZAKŁAD PRODUKCYJNY ZAPLECZA ELBUD w Rawiczu, Al. Zawadzkiego 4

SPRZEDA

CZĘŚCI ZAMIENNE do POJAZDU marki „FERGUSON": pompy olejowe, wodne, korbowody, uszczelki, pierścienie Simmera, prądnice itp.

CZĘŚCI ZAMIENNE do CIĄGNIKA GĄSIENICOWEGO TDT-60: sworznie ślaka, wały kardana, wkłady filtra, koła zębate itp.

oraz śruby maszynowe zgrubne PN 58/M 82101.

Zgłoszenia prosimy kierować do DZIAŁU ZAOPATRZENIA, telefon 411, wewn. 19, 22.

R-2309

KOMITET ORGANIZACYJNY II ZJAZDU ABSOLWENTÓW TECHNIKUM MECHANIZACJI ROLNICTWA w GRODKOWIE

Informuje, że dnia 20 i 27.XI.1971 r. odbędzie się kolejny

ZJAZD ABSOLWENTÓW

R-2300

METALOWO - CHŁODNICZA SPÓŁDZIELNIA PRACY dawny „SOLDZWIG" Gdańsk, ul. Na Stępce 1 d

posiada luzy produkcyjne jeszcze na rok 1973-74 na wykonawstwo

SUWNIC typu lekkiego.

R-2419

WROCŁAWSKIE PRZEDSIĘBIORSTWO PRZEMYSŁU ZIEMNIACZANEGO w Niechlowie, powiat Góra, woj. Wrocław, tel. Niechlów 26

sprzeda

KOCIOŁ 2-PŁOMIENNICOWY

R-2301

WROCŁAWSKIE PRZEDSIĘBIORSTWO ROBÓT INŻYNIERYJNYCH BUDOWNICTWA PRZEMYSŁOWEGO we Wrocławiu, ul. Dobrzyniecka 28

SPRZEDA przedsiębiorstwom państwowym lub uspołecznionym następujące

MATERIAŁY:

- KĄTOWNIKI RÓWNORAM. 100 × 100 × 12
- BEDNARKA CZARNA 20 × 2,25 × 2,5
- BLACHA UNIWERS. 300 × 7, ODPADOWA 30 × 50
- KIELISZKI CIŚNIENIOWE ŻEL. ∅ 130
- NAKRĘTKI ZGRUBNE M-24, M-20, 6-kątne W-42
- ŚRUBY KLUCZOWE 10 × 150 do drewna 10 × 160, 10 × 80
- WKRĘTY do drewna 16 × 70, 16 × 80
- PŁYTKI MOZAIKOWE ZIELONE
- PŁYTA PILŚNIOWA
- SIATKA KRĘPOWANA 1000 × 6 × 3
- PLASTIBIT
- PŁYTY MIEDZIANE 250 × 25
- PACHOŁY CUMOWNICZE
- SPRĘŻYNY NACIĄGOWE
- RURY BETONOWE ZBROJONE ∅ 1000 × 100
- RURY AZBESTOWO-CEMENTOWE ∅ 80, 400
- DĄB TARTACZNY kl. V
- WĘŻE IGIELITOWE ∅ 8, 10 — 25
- SMAROWNICZKI
- RURKA BERGMANA ∅ 11, 16, 23, 29, 13,5
- PRZEWÓD ADGW, ALY, KGO, OP, OKOA

Bliższych informacji udziela DZIAŁ INWENTARYZACJI CIĄGŁEJ — telefon 50-01, wewn. 12.

R-2406

PŁYTY BAKELITOWE PAPIEROWE typ konstrukcyjny

PŁYTY BAKELITOWE TKANINOWE typ konstrukcyjno-elektroizolacyjny grubość od 0,2 mm do 4,0 mm, kolor naturalny

PŁYTY DEKORACYJNE „UNILAM" (laminat) grubość 1,6 mm w różnych kolorach, w tym szeroki wachlarz drewnopodobnych (meblowych)

oferują do sprzedaży ZAKŁADY TWORZYW SZTUCZNYCH „PUSTKÓW" w Pustkowie k/Dębicy, poczta Pustków 3.

R-2297

PRACOWNICY POSZUKIWANI

BIURO PROJEKTÓW PRZEMYSŁU CERAMICZNEGO w Warszawie, Oddział w Kielcach, ul. Młoda 26 (telefon 63-34)

zatrudni natychmiast na stanowiskach PROJEKTANTÓW I ASYSTENTÓW:

- INŻYNIERÓW I TECHNIKÓW KONSTRUKTORÓW BUDOWLANYCH
- INŻYNIERA DROGOWEGO
- INŻYNIERÓW I TECHNIKÓW INSTALACJI I URZĄDZEŃ SANITARNYCH
- INŻYNIERA lub TECHNIKA ELEKTRYKA

oraz

- TECHNIKA GEODETĘ.

Warunki pracy i płacy do omówienia pod powyższym adresem.

R-2411

KOMUNIKAT

DYŻURY SZPITALI

SOBOTA — 6 LISTOPADA

Trybuna Ludu

MARGARYNA w kuchni i na stole

R-2166

W STOLICY

Jest decyzja – gorzej z realizacją

Półetat dla kobiet

ROZWÓJ gospodarki w Warszawie przewiduje, że do 1975 roku przybędzie 80 tys. nowych miejsc pracy. [illegible] pod uwagę, że w tym okresie w wiek [illegible] wejdzie ok. 35 tys. mieszkańców stolicy — deficyt [illegible] do pracy sięgać będzie 45 tys. osób. Problem ten rozwiąże [illegible] dużym stopniu migracja, ale jej wielkość, uwarunkowana [illegible] czynnikami, również jest ograniczona.

[illegible]

Propozycje

[illegible]

Dom Rencisty Chemika – otwarty

[illegible]

Potrzebne inne spojrzenie

[illegible]

Uwagi zainteresowanych

[illegible]

ZOFIA ŻMUDA

Nabici w butelkę!

[illegible]

Dzisiejsze imprezy

[illegible]

Niedzielne wycieczki

[illegible]

DYŻURY SZPITALI

NIEDZIELA – 7 LISTOPADA

[illegible]

TEATRY

NIEDZIELA – 7 LISTOPADA

[illegible]

KINA

NIEDZIELA – 7 LISTOPADA

[illegible]

KINA w tygodniu

[illegible]

RADIO

NIEDZIELA – 7 LISTOPADA

[illegible]

TELEWIZJA

NIEDZIELA – 7 LISTOPADA

[illegible]

BIURO ZBYTU SPRZĘTU POMIAROWO-KONTROLNEGO „MERAZET" w Poznaniu, ul. Wielka 21

organizuje w dniach 8–12 listopada na terenie MTP w hali Nr 59 (wejście z ul. Świerczewskiego) w godz. od 9 do 14

POKAZ
POWSZECHNIE STOSOWANEJ APARATURY POMIAROWEJ
połączony ze sprzedażą.

- APARATURA ELEKTRYCZNA
- APARATURA ELEKTRONICZNA
- ELEMENTY AUTOMATYKI – PRZEKAŹNIKI
- APARATURA DO PRZEPŁYWU I ANALIZY GAZÓW
- APARATURA CIEPLNA
- APARATURA DO POMIARU CIENIEŃ
- MIKROSKOPIA
- APARATURA DO BADAŃ STRUKTURY MATERIAŁOWEJ
- WYPOSAŻENIA DO APARATURY SPEKTRALNEJ i inne.

KRAJOWY ZWIĄZEK SPÓŁDZIELNI SPRZĘTU MEDYCZNEGO I LABORATORYJNEGO
– PRZEDSIĘBIORSTWO ORGANIZACJI I KOMPLETACJI DOSTAW EKSPORTOWYCH „E S P O"
w Warszawie, ul. Grójecka 5
— telefon 22-30-70 —

ESPO

SPRZEDA

- wyposażenie do aparatu Schallena o nos. 10 sen
- kolby do badania betonu
- formy do badania betonu
- mikromanometr kompensacyjny typ MK-4
- pierścienie Chatelliera. K-5450

PRACOWNICY POSZUKIWANI

MIEJSKIE ZAKŁADY KOMUNIKACYJNE w m. st. Warszawie

zatrudnią natychmiast
- KIEROWCÓW AUTOBUSOWYCH

PRZETARG

WARSZAWSKIE ZAKŁADY PAPIERNICZE im. M. JAWORSKIEGO w Konstancinie-Jeziornie

ogłaszają przetarg nieograniczony na wykonanie w roku 1971 robót remontowo-budowlanych w następujących obiektach:

1. Budynek hollendrowni.
2. Budynek wykończalni papieru.
3. Magazyn kartonów.
4. Budynek turbin – Sal i AEG.

ZAKŁADY AZOTOWE im. F. DZIERŻYŃSKIEGO w Tarnowie

oferują do natychmiastowej sprzedaży WYROBY z POLICZTEROFLUOROETYLENU – PTFE TARFLENU w postaci:
- PRĘTÓW
- SZNURÓW
- PŁYT
- PIERŚCIENI
- RUR

Możemy również dostarczyć wyroby TARFLENOWO-GRAFITOWE.

Bliższych informacji udziela DZIAŁ SPRZEDAŻY ZAKŁADÓW AZOTOWYCH im. F. DZIERŻYŃSKIEGO w Tarnowie
centrala tel. 66-60, 66-69, wewn. 26-28 lub 23-19.

Trybuna Ludu

[illegible]

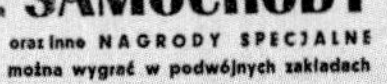

ToTo-LOTKA
w dniu 14 — XI — 1971 r.

GRODKOWSKIE ZAKŁADY WYROBÓW METALOWYCH w Grodkowie, ul. Wrocławska [illegible]

sprzedadzą natychmiast

WYMIENNIK KATIONOWO-SODOWY

typu [illegible], rok budowy 1969, nowy,
CENA 74.700 zł.

Zgłoszenia prosimy kierować pod adresem: DZIAŁ [illegible] [illegible]

WOJEWÓDZKIE PRZEDSIĘBIORSTWO ZAOPATRZENIA OGÓLNEJ WYTWÓRCZOŚCI w Lublinie z siedzibą w [illegible] łącznie z Oddziałami w [illegible]

zawiadamia uprzejmie że w dniach 23–25 listopada 1971 r. w godzinach [illegible]

organizuje

OGÓLNOKRAJOWĄ GIEŁDĘ MATERIAŁOWĄ

WSZYSTKICH BRANŻ z wyjątkiem metali kolorowych,

która odbędzie się w sali DOMU TECHNIKA w Lublinie, ul. Grottgera 9.

ZAPRASZAMY PRZEDSTAWICIELI PRZEDSIĘBIORSTW PRODUKCYJNYCH ORAZ HANDLOWYCH HURTU I DETALU

FABRYKA SZKŁA „ORNETA" w Ornecie k/Olsztyna ul. Dworcowa 2

SPRZEDA

2 PIECE HARTOWNICZE

[illegible]

UWAGA

■ ZAOPATRZENIOWCY
■ MEBLARZE
■ MAJSTERKOWICZE !

Z DNIEM 11 PAŹDZIERNIKA br. CENY

PŁYT »UNILAM«
(laminatów dekoracyjnych)

ZOSTAŁY OBNIŻONE ŚREDNIO O 30%.

Asortyment	Symbol		cena detal. w zł za 1 m² dotychczasowa	nowa
Płyty „UNILAM" bez warstwy ochronnej z połyskiem	AU-15	gat. I	140,–	115,–
		gat. II	130,–	92,–
		gat. III	100,–	82,–
		gat. IV	80,–	54,–
Płyty „UNILAM" z warstwą ochronną z połyskiem, jasne i ciemne	AU-35	gat. I	144,–	108,–
		gat. II	122,–	90,–
		gat. III	108,–	80,–
		gat. IV	72,–	54,–
Płyty „UNILAM" z warstwą ochronną matowe, kolory jasne	AU-1045	gat. I	160,–	126,–
		gat. II	136,–	105,–
		gat. III	120,–	94,–
		gat. IV	80,–	64,–
Płyty „UNILAM" z warstwą ochronną matowe, kolory ciemne	AU-2045	gat. I	145,–	118,–
		gat. II	120,–	100,–
		gat. III	112,–	88,–
		gat. IV	74,–	56,–

Stosujcie płyty „UNILAM" jako materiał [illegible]

Wszelkich informacji o wymienionych płytach udzielają WOJEWÓDZKIE HURTOWNIE WYROBÓW PRZEMYSŁU CHEMICZNEGO

oraz Dystrybutor „CHEMIPLAST" PRZEDSIĘBIORSTWO OBROTU TWORZYWAMI SZTUCZNYMI w Gliwicach, ul. Mochnackiego 6, tel. 91-03-38.

SPÓŁDZIELNIA PRACY „CINEMA" Poznań, ul. Wrzesińska 17

SPRZEDA natychmiast odbiorcom handlu detalicznego i hurtowego:

- SKOROSZYTY z folii twardej PCW w cenie 5,10 zł
- ETUI do WIECZNYCH PIÓR z folii galanteryjnej w cenie 2,80 zł
- ETUI do DŁUGOPISU z folii galanteryjnej w cenie 2,40 zł

[illegible]

Ponadto Spółdzielnia posiada możliwości produkcji w IV kw. 1971 r. KOPERT bez NADRUKU i z NADRUKIEM do instrukcji obróbczych i przepisów BHP.

POWIATOWA SPÓŁDZIELNIA PRACY USŁUG WIELOBRANŻOWYCH w Otwocku ZAKŁAD GALWANIZACYJNY w Legionowie, ul. Jagiellońska 32/35

WYKONUJE USŁUGI dla ludności i instytucji w zakresie:

CYNKOWANIA DROBNYCH DETALI METALOWYCH w KIELICHACH.

Zlecenia należy kierować pod adresem Spółdzielni w Otwocku, ul. Warszawska 22, tel. 79-20-37, 79-20-38.

WYRZĄDZIŁEŚ KOMUŚ NIEZAMIERZONĄ SZKODĘ?

PZU POMOŻE CI POKRYĆ KOSZTY EWENTUALNEGO LECZENIA I STRATY MATERIALNE W RAMACH UBEZPIECZENIA ODPOWIEDZIALNOŚCI CYWILNEJ W ŻYCIU PRYWATNYM.

SPÓŁDZIELNIA PRACY

»METALO-PORT«

w Szczecinie, ul. Dubois 15/17

oferuje do dostawy w 1972 r. niżej podane wyroby:

- ODLEWY wykonywane w kokilach [illegible] i odlewane w piasku z brązu i mosiądzu
- ODLEWY z aluminium wykonywane w kokilach. [illegible]
- ODPŁAZIACZE WODY: Q – 0,3 m³/h, Q – 1 m³/h, Q – 3 m³/h, Q – 7 m³/h, Q – 10 m³/h, Q – 15 m³/h i Q – 20 m³/h wraz z [illegible]
- HYDROFORY kompletne: V – 1000 l, V – 1500 l, V – 2000 l i V – 2500 l
- PODGRZEWACZE Z WĘŻOWNICĄ, typ woda-woda: V – 100 l, V – 200 l, V – 300 l, V – 500 l, V – 750 l, V – 1000 l, V – 1500 l, V – 2000 l i V – 3000 l
- SZCZOTKI ROTACYJNE DO RDZY: Ø 100, 125, 150, 175, 200, 225, 250
- SZCZOTKI DO CZYSZCZENIA RUR KOTŁOWYCH: Ø 30, 40, 50, 60, 70, 80, 90 i 100.

Zamówienia na hydrofory należy przesyłać pod adresem naszego dystrybutora – Centrali Technicznej w Gdańsku, ul. Łąkowa 37, na pozostałe wyroby pod adresem naszej spółdzielni.

„HAMECH" HAJNÓWKA oferuje do natychmiastowej dostawy

PRZYCZEPY CIĄGNIKOWE

O ŁADOWNOŚCI 10 TON.

Przyczepa jest przeznaczona do:

- przewozu kłód
- przewozu długich elementów budowlanych
- przewozu wyrobów hutniczych.

Cena sztuki 74.400 zł/1 szt.

Zamówienia składać pod adresem:
HAJNOWSKI ZAKŁAD PRZEMYSŁU MASZYNOWEGO LEŚNICTWA
Hajnówka, ul. Lenina 3
telefon 170, wewn. 22, telex 85329.

KOMUNIKATY

[illegible]

PRACOWNICY POSZUKIWANI

MIEJSKIE ZAKŁADY KOMUNIKACYJNE w m. st. Warszawie

zatrudnią natychmiast

- KIEROWCÓW AUTOBUSOWYCH [illegible]

[illegible]

MAZOWIECKIE ZAKŁADY RAFINERYJNE I PETROCHEMICZNE w Płocku

zatrudnią zaraz

- INŻYNIERA CHEMIKA na stanowisko KIEROWNIKA OŚRODKA INFORMACJI NAUKOWO-TECHNICZNEJ I EKONOMICZNEJ w Ośrodku Badawczo-Rozwojowym Przemysłu Rafineryjnego w Płocku.
- INŻYNIERÓW-CHEMIKÓW z dużym doświadczeniem w pracy w produkcji oraz INŻYNIERÓW z praktyką w pracach badawczych.
- OFICERÓW do pracy w Zawodowej Straży Pożarnej.

[illegible]

Mieszkania rodzinne względnie [illegible]

PRZEDSIĘBIORSTWO PAŃSTWOWE PRACOWNIE KONSERWACJI ZABYTKÓW Oddział w Krakowie

przyjmie do nowo powstałej Pracowni Konserwacji Organów Zabytkowych – następujących specjalistów:

- 3 ORGANOMISTRZÓW oraz 3 innych SPECJALISTÓW z dziedziny budowy i konserwacji organów
- 2 HISTORYKÓW SZTUKI lub znających historię oraz problemy budowy i konserwacji organów
- 2 AKUSTYKÓW – LABORANTÓW, posiadających znajomość zagadnień w podanym zakresie
- 3 PRACOWNIKÓW POMOCNICZYCH ze znajomością budowy i montażu organów.

[illegible] PP Pracownie Konserwacji Zabytków – Oddział w Krakowie, ul. Miodowa 41

[illegible]

FABRYKA MASZYN I URZĄDZEŃ PRZEMYSŁU SPOŻYWCZEGO „SPOMASZ" w Ziemi[illegible], ul. Dąbrowskiego 3

zatrudni

- 2 INŻYNIERÓW MECHANIKÓW na samodzielne stanowisko konstruktorskie
- 2 INŻYNIERÓW MECHANIKÓW na samodzielne stanowisko konstruktora oprzyrządowania specjalnego [illegible]
- INŻYNIERA SPAWALNIKA na samodzielne stanowisko w dziale technologicznym
- 3 INŻYNIERÓW MECHANIKÓW na samodzielne stanowisko technologów.

[illegible]

Warunki pracy i płacy do omówienia na miejscu.

SZANOWNI KLIENCI!

CENTRALA ZAOPATRZENIA MATERIAŁOWEGO PRZEMYSŁU BUDOWLANEGO

ZAPRASZA

do obejrzenia szerokiego asortymentu

OŚCIEŻNIC STALOWYCH I SKRZYDEŁ DRZWIOWYCH DREWNIANYCH i innych MATERIAŁÓW BUDOWLANYCH jak np.:

- SZKŁO BUDOWLANE FASONOWE
- SZKŁO ORNAMENTOWE
- PAPY DACHOWE I IZOLACYJNE
- RURY KAMIONKOWE KANALIZACYJNE
- PŁYTKI PODŁOGOWE KSYLOLIT

OFEROWANYCH DO SPRZEDAŻY [illegible]

[illegible]

ceny hurtowe – od 411 zł do 709 zł za komplet
ceny detaliczne – od 467 zł do 846 zł za komplet

WŁOCŁAWSKIE PRZEDSIĘBIORSTWO ROBÓT INŻYNIERYJNYCH BUDOWNICTWA PRZEMYSŁOWEGO we Włocławku, ul. Dobrzyńska 28

SPRZEDA

następujące

MATERIAŁY:

- KĄTOWNIKI RÓWNORAM. 100 × 100 × 12
- BEDNARKA CZARNA 20 × 2,25 × 3,5
- BLACHA UNIWERS. 300 × 7, ODPADOWA 30 × 80
- KIELISZKI OSNIEŻONE 201, Ø 130
- HAKRĘTKI ZGIĘBNE [illegible]
- ŚRUBY KLUCZOWE 10 × 130 do drewna 10 × 160, 16 × 80
- WKRĘTY do drewna 16 × 70, 16 × 80
- PŁYTKI MORBLITOWE ZIELONE
- PŁYTA FAUSTA
- SIATKA KREPOWANA 1000 × 4 × 5
- PLASTIBET
- PŁYTY MIEDZIANE 250 × 25
- PACHOŁY CUMOWNICZE
- SPRĘŻYNY NACISKOWE
- RURY BETONOWE ZBROJONE Ø 1500 × 100
- RURY AZBESTOWO-CEMENTOWE Ø 80, 600
- DĄB FARTACZNY kl. V
- WĘŻE IGELITOWE Ø 8, 10 – 25
- SMAROWNICZKI
- RURKA BERGMANA Ø 11, 16, 23, 29, 13,5
- PRZEWÓD ADGW, ALY, KGO, OP, OKOS

Bliższych informacji udziela DZIAŁ INWENTARYZACJI CIĄGŁEJ – telefon 30-81, wewn. 12.

PRZEDSIĘBIORSTWO PRZEMYSŁOWO-HANDLOWE „GAZY TECHNICZNE" w Gliwicach ul. Górnych Wałów 25

SPRZEDA

25.000 BĘBNÓW BLASZANYCH POKARBIDOWYCH

o wym. 450 × 750 mm, Ø otworu 260 mm, grubość blachy 0,5 mm w cenie 26,20 zł za szt.

Bliższych informacji udziela Dział Zaopatrzenia, tel. 91-29-[illegible]

FABRYKA OBRABIAREK „RAFAMET" w Kuźni Raciborskiej

posiada luzy produkcyjne na karuzelówkach

i przyjmie jeszcze w IV kwartale br.

ROBOTY na TOCZENIE średnicy do 3300 mm

SPÓŁDZIELNIA PRACY „PRZEMYSŁ BUDOWLANY" Warszawa, ul. Okrzei 15, telefon 44-13-64

przyjmie do wykonania roboty:

- ▲ zduńskie – REMONT PIECÓW PRZEMYSŁOWYCH (hartowniczych, kotłowych itp.)
- ▲ stolarskie – MEBLOŚCIANKI, ŚCIANKI DZIAŁOWE itp.

Roboty wykonujemy z materiałów własnych i powierzonych.

Zgłoszenia przyjmuje Kierownik Grupy Robót Warszawa, ul. Bartycka 10, telefon 41-49-91.

FABRYKA MASZYN „ZAWIDÓW" w Zawidowie, ul. Wierzbowa 7, pow. Lubań Śląski woj. wrocławskie

SPRZEDA w IV kwartale br. niżej wymienione WYROBY:

- PRZENOŚNIKI TAŚMOWE typ PTP-25/300
- GIĘTARKI MECHANICZNE typ G2-40
- PRZYCZEPY WARSZTATOWE typ PW-3.

Wszelkich informacji udziela DZIAŁ ZBYTU, telefon 226 w godzinach 7 – 15.

Zamówienia realizowane będą w kolejności zgłoszeń.

Trybuna Ludu

[illegible]

SPRÓBUJ GRAĆ

Najwięksi ludzie szukali odprężenia w muzyce

Pierwsza wpłata na

produkcji krajowej wynosi tylko 50/0 Rata miesięczna 200 zł.

– kształtowanie umiejętności poprawnego, jasnego i ścisłego wypowiadania się w mowie i piśmie;

– zaznajomienie poprzez naukę gramatyki z budową języka polskiego, opanowanie poprawnej pisowni;

– poznanie wybranych utworów najwybitniejszych polskich pisarzy i niektórych utworów literatury powszechnej;

– przygotowanie do samokształcenia, wyrobienie umiejętności posługiwania się książką, słownikiem, encyklopedią, katalogiem bibliotecznym.

JĘZYK ROSYJSKI

Nauczanie języka rosyjskiego w szkole podstawowej ma szczególne znaczenie. Dzięki niemu uczniowie poznają życie narodów Związku Radzieckiego, ich patriotyzm i oddanie się sprawie komunizmu, ich osiągnięcia gospodarcze, społeczne i kulturalne.

Zadaniem języka rosyjskiego jako przedmiotu nauczania w szkole podstawowej jest:

– doprowadzenie do opanowania przez uczniów praktycznej znajomości języka rosyjskiego w mowie i piśmie w zakresie umożliwiającym posługiwanie się tym językiem w prostych sprawach życia codziennego oraz osiągnięcie sprawności w czytaniu ze zrozumieniem łatwych tekstów;

– zaznajomienie uczniów z życiem i kulturą rosyjską i radziecką;

– umożliwienie korzystania przy pomocy słownika z prasy codziennej, z utworów literatury pięknej i popularnonaukowej.

HISTORIA

Historia jako nauka wykrywa prawidłowości procesu dziejowego. Wyjaśnianie praw rozwoju społeczeństw przyczynia się do zrozumienia zjawisk współczesnego życia oraz perspektyw dalszego rozwoju ludzkości.

Nauczanie historii w szkole, oparte na wybranym materiale z dziejów ojczystych i powszechnych, pozwoli uczniom zrozumieć, że aktualny układ stosunków ekonomiczno-społecznych w Polsce i w świecie jest wynikiem długiego rozwoju, którego siłą motoryczną jest walka klas oraz że walka ta prowadzi do zwycięstwa socjalizmu na całym świecie.

Nauczanie historii ma na celu kształtowanie uczuć patriotyzmu i internacjonalizmu, świadomej i czynnej postawy obywatelskiej wobec zadań budownictwa socjalistycznego, sympatii i szacunku dla innych narodów oraz solidarności z ludami walczącymi o społeczne i narodowe wyzwolenie.

Zadaniem historii jako przedmiotu nauczania w szkole podstawowej jest:

– zaznajomienie uczniów z dziejami Polski i wybranymi elementami historii powszechnej;

– zaznajomienie z rozwojem środków produkcji i stosunków produkcji oraz z rolą mas ludowych i wybitnych jednostek w historii;

– zapoznanie z dziejami klas i walki klasowej na różnych etapach historycznych ze szczególnym podkreśleniem roli klasy robotniczej w walce o wyzwolenie narodowe i społeczne;

– zaznajomienie uczniów z najwybitniejszymi

osiągnięciami naszego narodu i ludzkości w dziedzinie nauki i kultury;

– stopniowe doprowadzenie uczniów do zrozumienia zasadniczych zależności między poszczególnymi dziedzinami życia społecznego.

WYCHOWANIE OBYWATELSKIE

Nauczyciel wychowania obywatelskiego powinien wydobyć i uporządkować posiadane przez uczniów wiadomości o życiu współczesnym, aby w oparciu o nie rozwijać i pogłębiać wiedzę i umiejętności wskazane w programie nauczania. Jest to szczególnie ważne przy wprowadzaniu pojęć ekonomicznych, społecznych, ustrojowych, politycznych i prawnych. Przygotowując się do omówienia tematu, na przykład o klasach społecznych, kapitalizmie czy ustroju politycznym, należy sprawdzić, jakie wiadomości z tego zakresu są już znane uczniom z życia i z materiału nauczania innych przedmiotów, aby ustalić podstawę do dalszej pracy dydaktycznej. (...) Należy też wdrażać uczniów do posługiwania się poznanymi terminami oraz do formułowania p o p r a w n y c h (sic! – M.R.) sądów dotyczących spraw ekonomicznych, społecznych i politycznych.

Nauczyciel powinien umiejętnie wydobywać z każdego tematu elementy ideowo-wychowawcze, kształtować emocjonalny stosunek uczniów do spraw społecznych i budzić w nich wolę dokonywania zmian na lepsze w warunkach życia swego środowiska. Należy przy tym ukazywać uczniom dynamikę życia i rozwoju gospodarki i kultury naszego narodu w związku z budownictwem socjalistycznym.

Przy omawianiu poszczególnych zagadnień nie można pomijać trudności, a nawet negatywnych zjawisk występujących w życiu społecznym i gospodarczym środowiska lub kraju. Trzeba jednak odkrywać źródła tych niedomagań i wskazywać sposoby naprawy i ulepszeń.

Lekcje wychowania obywatelskiego, a szczególnie pogadanki i dyskusje, należy prowadzić w atmosferze szczerości i zaufania, zachęcając uczniów do stawiania pytań, wypowiadania własnych sądów i wątpliwości, do zabierania głosu w dyskusji. Po ujawnieniu niejasności i zastrzeżeń w jakiejś sprawie nauczyciel dobierze – w miarę możności przy pomocy uczniów – o d p o w i e d n i e argumenty, aby ukazać o b i e k t y w n ą prawdę i wyjaśnić zgłoszone wątpliwości.

Przy omawianiu zagadnień etycznych życia społecznego należy wystrzegać się moralizowania. Przyswojenie moralnych zasad i norm postępowania powinno być wynikiem całokształtu oddziaływania wychowawczego szkoły, przy czym wychowanie obywatelskie odgrywać powinno integrującą rolę.

Elementy współczesnej wiedzy, które uczniowie zdobyli w toku nauki szkolnej, oraz wdrożenie do krytycznego analizowania zjawisk i określania stosunku do nich na podstawie rozumowej, a także na zasadzie użyteczności społecznej, stanowić będą najlepsze podstawy do formowania poglądów i zasad postępowania zgodnego z moralnością socjalistyczną. (...)

Uczniowie powinni prowadzić zeszyty przedmiotowe, w których będą sporządzać krótkie notatki z wycieczek, wywiadów, obserwacji, z lektury prasy itp. Zeszyt może służyć uczniowi przez okres dwu lat nauki. Pozwoli to przy omawianiu tematów w klasie VIII odwoływać się do notatek sporządzonych w klasie VII. Na przykład przy opracowaniu w klasie VIII tematu „Rozwój gospodarczy Polski" pomocne będą notatki sporządzone w klasie VII w związku z tematami: „W zakładzie pracy" i „W gospodarstwie rolnym".

WYCHOWANIE FIZYCZNE

Wychowanie fizyczne stanowi niezbędny czynnik wszechstronnego rozwoju ucznia: pozwala skutecznie wzmocnić oddziaływanie społeczno-moralne szkoły przez kształtowanie takich cech charakteru uczniów, jak zdyscyplinowanie, aktywność i wytrwałość, umiejętność współżycia w zespole oraz poczucie odpowiedzialności. Wychowanie fizyczne wespół z innymi przedmiotami nauczania służy sprawie przygotowania uczniów na zdrowych, sprawnych, zdolnych do wydajnej pracy obywateli, zwiększa w nich zdolność przystosowania się do warunków współczesnego życia i odporność wobec jego ujemnych przejawów.

Zadaniem wychowania fizycznego jako przedmiotu nauczania w szkole podstawowej jest:

– zwiększanie sprawności fizycznej uczniów przez rozwijanie takich potrzebnych w życiu codziennym cech, jak szybkość, zwinność, gibkość, siła i wytrzymałość;

– budzenie i utrwalanie zamiłowania do uprawiania gier, ćwiczeń ruchowych i sportów;
– wzmacnianie zdrowia uczniów, utrwalanie nawyków higienicznych, kształtowanie prawidłowej postawy, wdrażanie do przebywania na otwartym powietrzu i racjonalnego hartowania.

WYTYCZNE

W sprawie prac społecznie użytecznych w ośmioklasowych szkołach podstawowych (na podstawie zarządzenia Ministra Oświaty z dnia 10 września 1960 r. Nr P1-3000/60 w sprawie prac społecznie użytecznych w szkołach i placówkach oświatowo-wychowawczych – Dz. Urz. Min. Ośw. Nr 12, poz. 226).

Przygotowując uczniów do życia i pracy w ustroju socjalistycznym, szkoła powinna ściśle wiązać naukę z pracą, zwłaszcza fizyczną, wyrabiać w wychowankach szacunek dla każdej pracy, zaszczepiać zasady moralne, obowiązujące w społeczeństwie socjalistycznym.

Realizowanie postulatu wiązania szkoły z życiem i pracą produkcyjną nakłada na szkoły i placówki oświatowo-wychowawcze obowiązek wdrażania dzieci i młodzieży już od pierwszych lat nauki do pracy społecznie użytecznej, w której w przyszłości będą aktywnie uczestniczyli.

Praca społecznie użyteczna przyzwyczaja do zespołowego działania, rozwija samodzielność, poczucie odpowiedzialności, wzmacnia dyscyplinę, wyrabia umiejętności organizacyjne, uczy łączenia teoretycznej wiedzy z praktyką oraz wyrabia szacunek dla człowieka pracy i jego wytworów.

Aktywne uczestnictwo w pracach społecznie użytecznych umożliwia uczniom lepsze, pełniejsze poznanie otaczającej rzeczywistości, uczy oddziaływania na tę rzeczywistość i przeobrażania jej własnym wysiłkiem. Dzięki temu zaczynają oni lepiej rozumieć potrzeby kraju, budzi się w nich chęć do pracy i pogłębia uczucie miłości ojczyzny.

Wychowawcze znaczenie pracy społecznie użytecznej polega również na silnym oddziaływaniu jej na psychikę dzieci i młodzieży. Trzeba wykorzystać fakt, że dzieciom, szczególnie młodszym, imponuje odpowiedzialna praca i działanie na wzór dorosłych. Sprzyja to budzeniu i utrwalaniu w dzieciach przekonania, że nie można uchylać się od pracy fizycznej i produkcyjnej, gdyż życie wokół nas ustawicznie jej wymaga. Przez pracę społecznie użyteczną łatwiej będzie unaocznić konieczność i skuteczność współdziałania i pomocy wzajemnej dla dobra społecznego.

Praca społecznie użyteczna powinna być podejmowana przede wszystkim wówczas, kiedy służy ona konkretnym potrzebom bliższego i dalszego środowiska społecznego, kiedy stanowi bezpośrednią formę niesienia pomocy i zaspokajania potrzeb ludzi, z którymi uczniowie stykają się w codziennym życiu. Będzie to kształtowało właściwy stosunek dzieci i młodzieży do otoczenia, uczyło współżycia na płaszczyźnie życzliwości oraz zrozumienia przeżyć i potrzeb każdego człowieka pracy.

Praca społecznie użyteczna powinna być z reguły wykonywana zespołowo. Stwarza to dobrą i naturalną okazję dla wdrażania uczniów do dobrej roboty: umiejętności racjonalnego podziału zadań i etapów pracy, doboru wykonawców według ich przydatności, właściwego instruktażu, kontroli wydajności, utrzymania dyscypliny, kształtowania opinii, oszczędnego działania, koleżeńskiego współzawodnictwa, łączenia teoretycznej wiedzy z praktyką itd. Wszystkie te elementy działania organizatorskiego można uwypuklić zarówno w pracach prostych, jak i bardziej złożonych.

Terminem „prace społecznie użyteczne" określa się pracę i działalność praktyczną uczniów, która skierowana jest na użytek społeczny w domu, w szkole lub w środowisku, wykonywana jest bądź kolektywnie, bądź też indywidualnie z inicjatywy klasy, samorządu uczniowskiego czy drużyny harcerskiej, lub organizowana przez szkołę.

Prace społecznie użyteczne mają dać szkole i środowisku oszczędności i korzyści materialne w postaci wykonanych zespołowo robót. Organizowanie tych prac ma jednak przede wszystkim na celu wzmocnienie oddziaływania ideowo-wychowawczego szkoły na młodzież i środowisko.

Z podręcznika do języka polskiego

Rozwijamy zdania

1. Porównaj podane pary zdań, w których występuje ten sam podmiot i orzeczenie. Które z tych zdań – nierozwinięte czy rozwinięte – zawiera więcej wiadomości?

a) Żołnierze walczyli. Nasi żołnierze dzielnie walczyli z wrogiem.

b) Wojsko Polskie zwyciężyło. Bohaterskie Wojsko Polskie zwyciężyło hitlerowskiego wroga.

c) Żołnierze maszerują. Młodzi żołnierze szybko maszerują na ćwiczenia.

2. Przepisz i wpisz zamiast kropek nazwy podanych zdań.

a) Żołnierze defilują.

Jest to zdanie........

b) Dzielni żołnierze defilują przed ludnością stolicy.

Jest to zdanie........

3. Rozwiń podmiot w podanych zdaniach. Zapisz je, wpisując zamiast kropek odpowiednie określenia.

a)........ mama pracuje w szpitalu wojskowym.

b)........ samolot leci wysoko.

c)........uczeń pisze wypracowanie o bohaterskim żołnierzu.

4. Rozwiń orzeczenie w podanych zdaniach. Zapisz je, wpisując zamiast kropek odpowiednie określenia.

a) Saperzy budują........

b) Czołgista jedzie........

5. Przeczytaj podane zdania nierozwinięte i uzupełnij każde z nich, rozwijając podmiot i orzeczenie odpowiednimi określeniami. Potem zapisz je i podkreśl podmiot i orzeczenie.

Żołnierze maszerują. Orkiestra gra. Oddział śpiewa.

***

Góralskie opowieści o Leninie (fragment)

Trafiłem do niego od razu. Franciszek Cudzich znany jest nie tylko w Białym Dunajcu. Znają go w promieniu kilkudziesięciu kilometrów. Mówią o nim: „To ten syn Teresy Skupień, w której domu mieszkał Lenin". Tak mówią młodzi, starsi natomiast zamiast słowa „Lenin" mówią: Mieszkał tu „profesor". Bo w wyobraźni starszego pokolenia górali profesor jest synonimem mądrego człowieka. I Franciszek Cudzich na poparcie tego dodaje: „Aż trzy skrzynie książek zwiózł przecież do domu mojej matki..."

(...)

Do dziś krążą po Podhalu opowieści o Leninie. Opowieści te rodzą się z najstarszych wspomnień, przybliżają one owe pamiętne lata, gdy wśród tłumu miejscowych i przyjezdnych letników znalazł się człowiek tworzący historię dwudziestego wieku.

Dom góralki Skupień, w którym dwukrotnie w latach 1913 i 1914 kilkumiesięczne wakacje spędził Lenin wraz z żoną i teściową, dziś dom – muzeum, ten dom przywodzi mi na myśl dzień wczorajszy.

(...)

Znajomych mieli niewielu. Jeśli przychodzili do „profesora", to zbierali się albo na ganku, albo na piętrze, gdzie miał swój pokój i gdzie do dziś stoi jego łóżko, stół, krzesło i lampa naftowa.

Pamięta Cudzich stosy gazet w różnych językach, które Lenin codziennie odbierał na poczcie w pobliskim Poroninie, a po które i on kilka razy chodził wysyłany przez „profesora". „Skromny był on i jego żona – mówił Cudzich – taki ludzki, prosty. Lubiano go za bezpośredniość, z jaką zwracał się do każdego". I po chwili zadumy dodaje: „Kiedy w roku 1917 dowiedzieliśmy się o wybuchu rewolucji w Rosji i o tym, że ją zwycięsko poprowadził Lenin, zdumienie nasze było wielkie, że to ten nasz profesor Uljanow stał się Leninem".

(Jan Czerski)

Ćwiczenia

1. Wyszukaj w tekście fragmenty mówiące o tym, gdzie i kiedy przebywał Lenin w Polsce. Odczytaj je.

2. Jak brzmiało właściwe nazwisko Włodzimierza Lenina?

3. Czym zajmował się Lenin w czasie pobytu w Poroninie?

4. Jaki obraz Lenina zachowali górale w swojej pamięci?
5. Jaką rolę odegrał Lenin w czasie rewolucji w Rosji?

Uczymy się poprawnie pisać

1. Ojczyzna Lenina to Związek Socjalistycznych Republik Radzieckich. Napisz tę nazwę w skrócie, pamiętając o tym, że w skrótach pisanych wielkimi literami nie stawiamy kropek.
2. Z podanego niżej tekstu wypisz nazwy narodowości mieszkających w ZSRR.

W Związku Radzieckim żyje wiele narodów. Są to: Rosjanie, Gruzini, Ukraińcy, Litwini, Białorusini, Ormianie, Tatarzy, Uzbecy i inni. Łącznie żyje tam ponad 100 narodowości. Każdy z tych narodów mówi własnym językiem, ale wszystkie dzieci uczą się także języka rosyjskiego, który jest wspólnym językiem wszystkich narodów ZSRR.

Napisz pełną nazwę organizacji, która szerzy przyjaźń między narodem polskim i radzieckim. Jak brzmi skrót tej organizacji? Napisz go. Pamiętaj o wielkich literach.

Uczymy się o rodzajach rzeczownika

Ćwiczenie:
Wybierz z podanego tekstu po trzy rzeczowniki rodzaju męskiego, żeńskiego i nijakiego. Napisz je w trzech kolumnach.

Nasza szkoła obchodziła uroczyście rocznicę Wielkiej Rewolucji Październikowej. Dyrektor wygłosił na akademii piękne przemówienie. Uczennica z ósmej klasy recytowała wiersz o Leninie, a jej kolega o przyjaźni między dwoma miastami: Moskwą i Warszawą. Wzruszająco wygłosiła wiersz dziewczynka z klasy pierwszej. Cała sala nagrodziła ją oklaskami. Szkolny chór odśpiewał dwie rewolucyjne pieśni. Ale nie tylko szkoła obchodziła to święto. Całe miasto w tym dniu było udekorowane czerwonymi flagami.

szkoła, ..., ..., ...
dyrektor, ..., ..., ...
przemówienie, ..., ..., ...

***

Uczymy się poprawnie pisać (pisownia skrótów)

Ćwiczenie:
Przepisz, pisząc obok pełną nazwę organizacji oznaczonych skrótem.
PZPR – Polska Zjednoczona Partia Robotnicza
ZHP – ....
PCK – ....
LOP – ....
SKO – ....

***

A wy co na to? (fragment)

Tuż za drewnianym mostem chłopcy posłyszeli warkot, a po chwili ukazał się traktor.

– Chyba nas zabierze?

– Nie, nie będzie chciał.

– Zobaczymy...

Cała grupa zatrzymała się i czekała, aż traktor podjedzie bliżej. Z daleka poznali Bolka Walczaka, najlepszego traktorzystę z PGR-u w Zaborowie.

– Niech pan nas podwiezie...

– Skręcam w pole, zabiorę was kiedy indziej.

– Jaki ważny... – burknął Wojtek.

Nie dokończył, gdyż o jakieś dwadzieścia metrów przed nimi traktor zatrzymał się. Chłopcy podbiegli całą gromadą. Wojtek ostatni.

Niedaleko pługa, który został parę momentów za traktorem, zobaczył Wojtek jakąś śrubę, leżącą na bruku. – Pewnie zgubił – pomyślał i nie zatrzymując się nawet kopnął ją czubkiem buta. Potoczyła się w kupę trawy wyrastającej pomiędzy krzakami głogu. – Nie chciał nas zabrać, to niech teraz szuka.

Tymczasem traktorzysta zeskoczył z siodełka i oglądał maszynę.

– Zepsuła się?

– Nie, zginęła tylko śruba, łącząca traktor z pługiem. Może któryś z was widział ją na bruku, musiała przed chwilą upaść.

– Ja nie widziałem – skłamał Wojtek.

– Muszę sam poszukać.

Chłopcy zawrócili z traktorzystą i szli wolno, rozglądając się uważnie we wszystkie strony. Nic jednak nie znaleźli.

Dziwna rzecz – mówił Bolek rozkładając ręce – śruba powinna upaść niedaleko, a nigdzie jej nie ma... Ale gorsza rzecz, że nie będę mógł orać, jeśli takiej śruby nie mają w warsztacie.

– A może jednak lepiej powiedzieć – rozmyślał w tym czasie Wojtek.

– Ale jak się Bolek dowie, że to ja wrzuciłem śrubę w krzaki, będzie krzyczał, a może nawet powie rodzicom. Chyba lepiej nic nie mówić.

Traktorzysta obejrzał jeszcze raz maszynę, pokręcił głową i machnąwszy ręką powiedział:

– A to pech. Taka pilna orka. Do końca tygodnia trzeba zaorać pole pomiędzy drogą a stawami. A tu, jak na złość, ten wypadek... No, to szkoda czasu. Idę do warsztatu.

Ruszyli razem, bo droga do PGR-u prowadziła obok szkoły. Chłopcy milczeli, natomiast traktorzysta pomrukiwał od czasu do czasu.

– Trzeba mieć pecha...

– A może jeszcze pan nadrobi?

– Gdzie tam. Na pewno pół dnia stracę, a pół dnia to prawie hektar zaoranej ziemi...

Wojtek chciał coś powiedzieć, ale właśnie doszli do budynku szkolnego i wszyscy chłopcy skręcili w lewo.

Ledwo usiadł, wszedł nauczyciel i zaczęła się lekcja polskiego. Wojtek nie słyszał ani słów nauczyciela, ani głosu kolegów, bowiem myślami był przy traktorze. Widział zupełnie wyraźnie niewielkie krzaki głogu i leżącą w nich śrubę. Była blisko, bliziuteńko, tylko ręką po nią sięgnąć...

– Trzeba było się przyznać – rozmyślał. Najwyżej traktorzysta by mnie zburczał i to wszystko, niechby nawet poskarżył na mnie. A tak, pół dnia straconego, co najmniej hektar ziemi nie zaoranej, a na hektarze ile to zboża.

Chłopiec czuje, jak policzki palą go coraz bardziej. I jest mu ciasno i duszno w klasie.

– Dlaczego nie powiedziałem całej prawdy? – żałuje teraz. Chce odpędzić myśli i próbuje tłumaczyć sam siebie. – A dlaczego nas nie zabrał? Taki ważny... Znajdzie śrubę w warsztacie i za godzinę będzie orał...

Ta myśl uspokoiła go nieco. Może już nawet myśleć o lekcji. Właśnie sąsiad Wojtka skończył czytać.

– Co możecie powiedzieć o bohaterze opowiadania? – zapytał nauczyciel.

Podniosło się parę rąk.

– A może Wojtek, jeszcze nie odpowiadał dzisiaj.

Chłopiec wstał, zaczerwienił się, gdyż nie znał zupełnie treści czytanki.

– To może Basia?

– Bohater opowiadania był złym człowiekiem – mówi dziewczynka.

– Dlaczego?

– Bo szkodził ludziom. Zepsuł całą maszynę.

– Jak inaczej można nazwać takiego człowieka?

– Szkodnikiem...

– Tak, Franek, bohater czytanki, był szkodnikiem. Pamiętajcie, że czasem z głupoty też można być szkodnikiem. Widziałem wczoraj, jak pewien chłopiec stłukł kamieniem porcelanowy izolator na słupie telegraficznym. On też jest szkodnikiem, choć może nie wie o tym.

W tej chwili Wojtkowi pociemniało w oczach – a ja?... szkodnik, szkodnik, szkodnik...

(Stanisław Aleksandrzak)

Ćwiczenia

1. Dlaczego Wojtek kopnął zgubioną śrubę?
2. Dlaczego Bolek Walczak tak bardzo zmartwił się zgubą?
3. Co zrozumiał Wojtek na lekcji? W jaki sposób naprawił swój błąd?
4. Odpowiedz na pytanie autora, oceniając postępowanie Wojtka.
5. Napisz w pełnym brzmieniu skróty: PGR i POM.

***

Przygotowujemy się do rozmowy na temat wsi

1. Zastanów się i powiedz, z jakich nowoczesnych urządzeń korzysta dzisiejsza wieś w domu i w gospodarstwie.
2. Z jakimi instytucjami na wsi związane są następujące zawody: lekarz, weterynarz, agronom, traktorzysta, mechanik, bibliotekarz? Opowiedz o pracy jednego z tych ludzi.
3. Powiedz, co ułatwia mieszkańcom kontakty z miastem.

4. Napisz kilka zdań o znanych ci osiągnięciach współczesnej wsi polskiej.

Uczymy się poprawnie pisać (wyrazy z *rz* i *ż*)

1. Przeczytaj podany tekst i wpisz wyrazy z *rz,* zmieniając ich formę. Zapisz je w dwóch kolumnach: w jednej – czasowniki w bezokoliczniku, w drugiej – rzeczowniki w mianowniku.

W nowoczesnej wsi wiele się zmieniło na lepsze. Gospodarze korzystają z maszyn będących własnością kółka rolniczego. Kółkiem rządzi wybrany zarząd, który wypożycza gospodarzom maszyny według ustalonego porządku. Rolnicy doceniają korzyści, jakie stwarza im kółko. Dlatego nie zdarza się, aby na zebraniu kółka kogoś brakowało.

2. Przepisz, wpisując zamiast kropek wyrazy z *rz* o tym samym znaczeniu.
właściciel gospodarstwa rolnego – ....
wybrana grupa kierująca organizacją – ....
przybory do pracy – ....
ład – ....

***

Przygotowujemy się do święta 1 Maja

Zbliża się Święto Pracy – 1 Maja. Dzień ten obchodzony jest uroczyście w wielu krajach. Zastanów się, jak ty i twoja klasa moglibyście się włączyć do obchodów tego święta. Przygotuj się do dyskusji na ten temat w klasie. W tym celu wykonaj podane niżej polecenia.

1. Zbierz wiadomości o tym, jak obchodzone jest Święto Pracy w zakładach pracy. W tym celu:

a) porozmawiaj z rodzicami lub krewnymi, jak oni uczczą to święto w swoim miejscu pracy;

b) posłuchaj, co mówi się na ten temat w radiu i w telewizji;

c) wyszukaj w gazetach meldunki o pierwszomajowych zobowiązaniach załóg robotniczych różnych zakładów i przeczytaj je.

2. Przygotuj własną propozycję uczczenia tego święta przez waszą klasę i podziel się uwagami z kolegami. W klasie możecie wybrać najciekawszą propozycję, przydzielić zadania zespołom i poszczególnym uczniom do wykonania. Możecie na przykład z tej okazji: uporządkować klasę lub inne pomieszczenie szkolne, zrobić gazetkę, włączyć się do akademii z piosenką lub wierszem, przygotować chorągiewki dla tych uczniów, którzy wezmą udział w pochodzie.

Przygotowujemy sprawozdanie z uroczystości szkolnej

1. Przygotuj się do rozmowy na lekcji na temat przebiegu uroczystości pierwszomajowej w waszej szkole. W tym celu daj odpowiedzi na następujące pytania:

a) Z jakiej okazji zorganizowana została uroczystość?
b) Gdzie i kiedy się odbywa?
c) Kto brał w niej udział?
d) Jaki był program uroczystości?
e) Które fragmenty programu podobały ci się najbardziej? Dlaczego?
f) Jakich doznałeś wrażeń, uczestnicząc w tej uroczystości?

2. Napisz sprawozdanie z uroczystości pierwszomajowej. Wykorzystaj w nim podane niżej słownictwo oraz pytania z poprzedniego ćwiczenia jako plan do swojej wypowiedzi.

akademia: uroczysta, niecodzienna, piękna

sala: udekorowana, przystrojona, wysprzątana, wypełniona dziećmi

dzieci: grzeczne, wesołe, poważne, odświętnie ubrane, uroczyste

realizatorzy programu: wygłosił przemówienie, mówili wiersze, deklamowali, recytowali, śpiewali piosenki, tańczyli

przebieg uroczystości: na wstępie, na początku, następnie, w dalszym ciągu, jako następny z kolei wystąpił, później, na zakończenie, w końcu

3. Weź udział w konkursie na najlepiej napisane sprawozdanie. Najciekawsze sprawozdanie można wykorzystać w gazetce szkolnej lub wpisać do kroniki klasowej.

***

Uczymy się roli przysłówka z zdaniu

1. Przeczytaj podane zdania. Wskaż w nich czasowniki i towarzyszące im przysłówki, następnie wskaż rzeczowniki i i towarzyszące im przymiotniki. Na jakie pytania odpowiadają przysłówki, a na jakie przymiotniki?

Przed trybuną honorową wojskowe orkiestry grały głośno hymn.

Młodzi sportowcy maszerowali sprawnie i rytmicznie przed publicznością.

Dzieci szkolne wesoło śpiewały marszowe piosenki.

Kolorowe flagi łopotały pięknie na wietrze.

2. Wypisz ze zdań z poprzedniego ćwiczenia rzeczowniki z przymiotnikami i czasowniki wraz z towarzyszącymi im przysłówkami. Następnie przepisz i uzupełnij podane niżej zdania.

Przymiotnik w zdaniu towarzyszy..........

Przysłówek w zdaniu towarzyszy..........

(...)

5. Przepisz podane zdania, rozwijając je przez dodanie odpowiednich przysłówków. Podkreśl w nich orzeczenia. Następnie powiedz, jaką część zdania określa przysłówek.

Robotnicy pracują (jak?) .... i ....
Dzieci uczą się (jak?) .... i ....
Ludzie witają żołnierzy (jak?) .... i ....

6. Przepisz i uzupełnij podane zdanie
Przysłówek jest w zdaniu określeniem..........

***

Uczymy się poprawnie pisać (wyrazy z *rz*)

1. Przepisz podany tekst. Podkreśl w nim wyrazy z *rz*.
W Berlinie, który jest stolicą Niemieckiej Republiki Demokratycznej, zbudowano Pomnik Żołnierza Polskiego i Niemieckiego Antyfaszysty. Pomnik ten jest wspólnym dziełem polskich i niemieckich rzeźbiarzy. Wyrzeźbiony został w kamieniu. Przedstawia on trzech żołnierzy z bronią w ręku: polskiego, radzieckiego i niemieckiego. Pomnik ustawiono na otwartej przestrzeni wielkiego placu. Odsłonięcie tego pomnika w roku 1972 było wielkim wydarzeniem. Mieszkańcy miasta i przyjezdni często przychodzą podziwiać piękne dzieło, będące symbolem zwycięstwa, przyjaźni i pokoju.

2. Przepisz, dopisując pokrewne czasowniki lub przymiotniki.

rz niewymienne
wydarzenie – wydarzyło się
rzeźbiarz – ....

korzyść – ....
towarzysz – ....
uderzenie – ....

rz po spółgłoskach
przestrzeń – przestrzenny
przechodzień – ....
przyjaźń – ....
wytrzymałość – ....
przytomność – ....

(*Podręcznik do nauki języka polskiego dla klasy IV*, 1977 rok)

Z życia „kaowca"

FUNKCJE ZAWODU (cytat z opracowania naukowego, 1976 rok)

W doskonaleniu zawodowym pracowników kulturalno-oświatowych funkcja ideologiczna wysuwa się na plan pierwszy, ponieważ niezależnie od przyjętej koncepcji pracy w domu kultury ostatecznym celem jest oddziaływanie na świadomość społeczną. A zatem nie można w doskonaleniu zawodowym ograniczać się do zwiększenia sprawności technicznej pracownika, wyobcowując ją, a tym samym działalność kulturalno-oświatową, z treści politycznych i ideologicznych. Jednocześnie należy tu dodać, że realizacja funkcji ideologicznej w doskonaleniu zawodowym nie może prowadzić do tego, by pracownicy zawężali działalność w miejscu pracy jedynie do organizowania imprez polityczno-propagandowych z okazji rocznic i świąt państwowych. Praca ideologiczna bowiem to pogłębianie znajomości teoretycznych i społeczno-politycznych założeń państwa socjalistycznego, intelektualny wysiłek nad pogłębianiem znajomości marksizmu. W systemie doskonalenia zawodowego powinny być przyswojone treści kształtujące postawę opartą na normach etyki socjalistycznej, aktywność i zaangażowanie społeczne pracownika kulturalno-oświatowego. W konsekwencji chodzi o to, aby oddziaływując na świadomość uczestników placówki, oświatowiec przyczyniał się do wprowadzenia w życie społeczne i zawodowe aktywnych jednostek identyfikujących się z rzeczywistością socjalistyczną. A zatem funkcja ideologiczna doskonalenia zawodowego to nie tylko kształtowanie umiejętności organizowania imprez propagandowych, które mogą wywierać jedynie wpływ pozorny i chwilowy, ale stymulacja głębokich przemian w świadomości społecznej.

MODEL DZIAŁANIA PRACOWNIKA KULTURALNO-OŚWIATOWEGO W ŚRODOWISKU MŁODZIEŻY CIĄŻĄCEJ KU POSTAWOM ASPOŁECZNYM (źródło jak wyżej):

W życiu społecznym można się spotkać ze zjawiskami niedostosowania społecznego pewnych grup młodzieży. Przyjmuje ona postawę indyferentną wobec norm regulujących życie społeczne, postawę nihilistyczną lub jawnie wrogą. Badacze problematyki życia młodzieży twierdzą, iż jest to między innymi wynik postępu ekonomicznego kraju. (...)

Stąd właśnie niektóre grupy młodzieży nawet w naszym społeczeństwie formułują na własny użytek negatywną odpowiedź na pytanie o sens życia, co skłania do tworzenia różnych odmian grup nihilistycznych, których bardzo niejasna ideologia i zaledwie konturowo zarysowany model egzystencji zakłada osiąganie „szczęścia" dopełnianego „podróżami" w momentach odurzenia narkotycznego, względnie tworzą inne grupy o wyraźnie agresywnym nastawieniu wobec społeczeństwa, odrzucając takie wartości jak praca lub nauka, preferują życie „łatwe" w oparciu o środki zdobywane w sposób nielegalny (wyłudzanie, kradzież, nielegalny handel). (...)

W tej sytuacji wydaje się słuszne przyjęcie przez niektórych pracowników kulturalno-oświatowych programu, w myśl którego głównym ich zadaniem byłaby socjalizacja młodzieży skłaniającej się ku postawom aspołecznym. (...)

Zakres działań pracownika kulturalno-oświatowego musi być rozszerzony o organizację zajęć o charakterze sportowym i turystycznym. (...) Zarówno sport, jak i turystyka zapełniają wolny czas, eliminują nudę, która może być jedynym motorem destrukcyjnych wyczynów.

„OGÓLNE ZAŁOŻENIA PROGRAMOWE" JEDNEGO Z POWIATOWYCH DOMÓW KULTURY. CELE I ZADANIA:

– pogłębienie procesu patriotycznego i internacjonalistycznego wychowania socjalistycznego społeczeństwa, w szczególności młodzieży, kształtowania twórczych zaangażowanych postaw,

– pełna aktywizacja społeczeństwa miasta i powiatu wokół zagadnień całokształtu życia kulturalnego, politycznego i społeczno-gospodarczego,

– pokazanie i upowszechnienie robotniczych i wiejskich środowisk, załóg, grup społecznych i jednostek, ich awansu społecznego, politycznego i kulturalnego na przestrzeni 30 lat Polski Ludowej ze wskazaniem na dalsze możliwości wykorzystania rezerw energii społecznej, na dalsze i pełniejsze zaspokojenie potrzeb społecznych, osobistych i kulturalnych,

– wskazywanie młodemu pokoleniu możliwości szybkiego awansu społecznego, politycznego, kulturalnego i osobistego poprzez systematyczną pracę i naukę,

– inspirowanie i inicjowanie w placówkach kulturalno-oświatowych miast i powiatu podejmowania problematyki 30-lecia PRL w codziennej działalności tych placówek, udzielanie w tym zakresie wszechstronnej pomocy instrukcyjno-metodycznej i repertuarowej.

JEDEN DZIEŃ PRACY KIEROWNIKA DOMU KULTURY (obserwację prowadziła studentka Studium Kulturalno-Oświatowego)

Czytanie korespondencji (w nawiasie podaję czas w minutach – 15 min.)
Rozmowa towarzyska ze studentką (20 min.)
Rozmowa z plastyczką na temat zrobienia dekoracji na planowaną imprezę kabaretową (20 min.)
Kierownik telefonuje do klubu X w sprawie prelegenta (10 min.)
Czytanie gazety codziennej (3 min.)
Kierownik wychodzi, nie podając gdzie (32 min.)
Kierownik przegląda plan pracy (15 min.)
Kierownik wychodzi (5 min.)
Rozmowa towarzyska ze studentką (25 min.)
Wyjście do filii nie wiadomo po co (90 min.)
Rozmowa z instruktorem na temat planowanej imprezy kabaretowej (30 min.)
Kierownik wychodzi, nie podając gdzie (30 min.)
Wyjście na obiad (30 min.)
Rozmowa z instruktorami na temat planowanego koncertu (30 min.)
Wyjście do domu (10 min.)
Razem: 365 minut.

Krótki komentarz:

Z cytowanych fragmentów wynika, że w „minionej epoce" pracownik kulturalno-oświatowy odgrywał doniosłą rolę. Jak to jednak często w PRL-u bywało, odgórne wytyczne rozmijały się z potoczną rzeczywistością. Warto pamiętać, że „kaowiec" stanowił nieodłączny element wczasów pracowniczych. Jego kulturotwórcza misja sprowadzała się z reguły do organizacji „wieczorku zapoznawczego" (czyli zrzuty na alkohol) oraz do dysponowania sprzętem sportowo-rekreacyjnym (o ile – rzecz jasna – takowy znajdował się na wyposażeniu ośrodka). Przez resztę dwutygodniowego turnusu „kaowiec" snuł się bez celu lub po prostu spał. Nie trzeba chyba dodawać, że przeważnie był... nietrzeźwy – M.R.

Kobietom pracującym

Z Poradnika gospodyni wiejskiej

DO CZYTELNICZEK

Oddając w ręce Czytelniczek *Poradnik gospodyni wiejskiej*, chcemy dopomóc kobiecie wiejskiej w indywidualnym gospodarstwie chłopskim, członkini spółdzielni produkcyjnej, czy też pracownicy PGR, w ich gospodarstwie przydomowym, przede wszystkim poradami, jak lepiej prowadzić te prace rolnicze, które znajdują się głównie w ręku kobiet, jak ułożyć sobie pracę w gospodarstwie domowym.

Dziś jednak kobieta wiejska interesuje się coraz więcej sprawami swojej gromady i całego kraju i znajduje czas nie tylko na gospodarstwo i dom, ale i na udział w społecznym życiu wsi.

Kobieta wiejska coraz częściej korzysta z książek; w książce widzi źródło swoich coraz lepszych osiągnięć w gospodarstwie, coraz kulturalniejszego życia. Umie też z książki korzystać.

Poradnik gospodyni wiejskiej ma być właśnie taką książką, dla kobiet wiejskich przeznaczoną, do której będą one zaglądać często, powracać niejednokrotnie do szczególnie interesujących je rozdziałów, szukając w nich porad.

W części wstępnej *Poradnika* pokazujemy Czytelniczkom, jak się zmieniło życie kobiety wiejskiej w Polsce Ludowej oraz zamieszczamy ilustracje o naszym kraju ojczystym, oraz o pierwszym w świecie kraju socjalizmu – Związku Radzieckim.

W *Poradniku* szczególnie obszernie omówione zostały sprawy związane z pracą gospodyni wiejskiej w zagrodzie, w polu i ogrodzie. Tym sprawom poświęcona jest część pt. *W polu i zagrodzie*. Nie podajemy w niej porad obejmujących wszystkie dziedziny gospodarki rolnej. Ponieważ gospodyni zazwyczaj bardzo dużo czasu poświęca hodowli – porad z dziedziny hodowli daliśmy najwięcej. Z uprawianych u nas roślin omawiamy w *Poradniku* tylko te, którymi najczęściej zajmuje się kobieta wiejska.

Porady z dziedziny życia rodzinnego i gospodarstwa domowego podajemy w części pt. *Mój dom*.

W części pt. *Nasze życie gromadzkie* – *Poradnik* pokazuje gospodyniom wiejskim coraz większe możliwości udziału w życiu społecznym i kulturalnym swojej gromady.

W części ostatniej zamieszczamy porady różne.

DROGA KOBIETY WIEJSKIEJ

Przez 10 lat wiele może się zmienić w życiu człowieka. Oto, ani się obejrzałaś, a już dziecko, 10 lat temu jeszcze płaczące w kolebce, dziś już czyta, pisze i potrafi być dzielnym pomocnikiem matki. (książka z 1954 roku – przyp. M.R.) Oto Ty sama byłaś jeszcze wczoraj młodą dziewczyną, dziś jesteś dojrzałą kobietą, matką, gospodynią. Ale czy można przez 10 krótkich lat zmienić życie całego kraju, całego narodu tak, aby dzień wczorajszy stał się tylko złym wspomnieniem?

Można. Można przez tak krótki, zdawałoby się, okres czasu dokonać tego, czego nie dokonano w ciągu wieków – uwolnić człowieka od nędzy, krzywdy, poniżenia. Można dokonać tego, aby człowiek pracy mógł być spokojny o jutro swych dzieci. Można sprawić to, aby ludzie pracy w kraju, na wsi i w mieście decydowali o losach swej Ojczyzny, która dopiero teraz stała się dla nich prawdziwą matką.

DBAJMY O NASZ WYGLĄD

Kobieta wiejska, pracując fizycznie w domu, ogrodzie lub polu, ma zniszczone ręce, niezbyt delikatną cerę oraz stwardniałą, popękaną skórę na nogach. Powinna jednak i może wyglądać miło, ładnie i młodo. Aby to osiągnąć, każda kobieta musi dbać o swój wygląd.

Higiena dnia codziennego

Podstawowym warunkiem zdrowia i piękna jest dbanie o czystość. Skóra źle utrzymana, niedomyta nie może spełniać swych zadań (regulowanie ciepła, wydzielanie potu, oddychanie), gdyż kurz i brud nie usuwane czas dłuższy zatykają jej pory. Pod wpływem ciepła wydzielony przez skórę tłuszcz i pot rozkładają się na trujące składniki. Jeśli tych szkodliwych składników nie usuniemy przez codzienne mycie, to spowodujemy zniszczenie skóry, wypryski ropne, krosty itp.

Myć należy ciało przynajmniej raz dziennie, wieczorem przed położeniem się do łóżka. Skóra dokładnie umyta przed snem swobodnie oddycha i umożliwia dobry odpoczynek.

Do mycia się należy używać wody ciepłej i mydła. Wodą ciepłą zmywamy brud z ciała, po czym spłukujemy skórę wodą letnią. Przez opłukiwanie ciała chłodną wodą hartujemy cały organizm. Najdokładniej można wymyć skórę w czasie kąpieli, która wskazana jest przynajmniej raz w tygodniu, Do kąpieli może nam posłużyć choćby zwykła balia od prania.

Po umyciu się lub kąpieli wycieramy się czystym, suchym ręcznikiem, dokładnie osuszając ciało. Każdy z domowników powinien mieć do wycierania się swój własny ręcznik, często zmieniany. Używanie tej samej wody do mycia i wspólnego ręcznika może być przyczyną przenoszenia chorób skóry i oczu.

Pielęgnowanie zębów

Do koniecznych zabiegów codziennych należy mycie zębów. Utrzymanie zębów w czystości chroni je od próchnicy, która jest przyczyną wielu cierpień. Zęby powinno się myć przynajmniej dwa razy na dzień, najważniejsze jest jednak dokładne czyszczenie wieczorem. Resztki jedzenia pozostawione na noc w szczelinach zębów ulegają pod wpływem ciepła zepsuciu, wytwarzając bakterie szkodliwe nie tylko dla zębów, ale i całego organizmu, do którego dostają się ze śliną.

Najlepszym środkiem do mycia zębów jest zwykła kreda o zapachu mięty i dość twarda włosiana szczoteczka.

Pielęgnowanie twarzy o cerze normalnej

Cera normalna jest wtedy, gdy skóra twarzy nie wykazuje skłonności do powstawania wągrów, kaszaków, krost i wyprysków, a po myciu jest gładka i matowa. Dlatego też najłatwiej pielęgnować cerę normalną.

Wystarczy wieczorem po umyciu i osuszeniu wklepać końcami palców w skórę twarzy odrobinę świeżego, nieosolonego smalcu lub oleju jadalnego albo tłuszczu z gęsi. Można również stosować odpowiedni krem. Na opakowaniach zwykle podane jest, przy jakiej cerze ten krem się stosuje. Kupując krem, trzeba na to zwrócić uwagę. (...) Nie należy używać pudru ani szminki, które niszczą cerę. Umalowana twarz wcale nie jest ładniejsza. Jeśli błyszczącą twarz przypudrujemy lekko, idąc na zabawę lub inne uroczystości, będzie wyglądać ładniej, ale wieczorem trzeba zmyć z siebie puder.

Pielęgnowanie włosów

Przyjemnie jest być ładnie i starannie uczesaną. Można to uzyskać bardzo łatwo bez pomocy fryzjera i bez robienia trwałej ondulacji.

Regularne, umiejętne mycie włosów, codzienne rozczesanie i staranne szczotkowanie specjalnie do tego przeznaczoną szczotką nadaje włosom przyjemną puszystość i połysk. Myć głowę należy co 10-14 dni przy włosach suchych, a przy włosach skłonnych do szybkiego przetłuszczania się – rzadziej.

Oczyszczanie głowy

Czasem zdarza się, szczególnie u dzieci, zawszenie głowy. Wszy usunąć łatwo przez codzienne czesanie gęstym grzebieniem, ale grzebień nie usunie gnid, a każda gnida to wesz. Najskuteczniejszym środkiem na usunięcie gnid jest nafta lub ocet sabadynowy. Jednym z wymienionych płynów zlewamy dokładnie włosy, zawiązujemy ciasno chusteczkę i pozostawiamy do następnego dnia.

Nafta i ocet sabadynowy powodują odklejanie się gnid od włosów, co ułatwia częściowe ich usunięcie już w trakcie mycia włosów. Pozostałe gnidy usuwamy przez czesanie gęstym grzebieniem. Jeżeli po jednorazowym użyciu nafty lub octu sabadynowego nie wszystkie gnidy zostały usunięte, należy zabieg powtórzyć.

Pielęgnowanie rąk

Każda kobieta może mieć ręce czyste i starannie utrzymane pomimo zajęć, które codziennie wykonuje.

Przede wszystkim trzeba po każdej pracy umyć starannie ręce. Najmniej raz na tydzień po umyciu i dokładnym osuszeniu rąk trzeba je natłuścić.

Jeżeli skóra na rękach pęka, trzeba unikać mycia rąk w wodzie zimnej. Po umyciu rąk w ciepłej wodzie trzeba opłukać je zimną wodą. Zimna woda ściąga pory skóry i zapobiega pierzchnięciu.

Ręce powalane ziemią lub sokiem z roślin należy wymoczyć w wodzie bez mydła czy proszku, a następnie przetrzeć dokładnie otrębami pszennymi, które doskonale czyszczą skórę ze wszystkich plam owocowych, po trawie i ziemi oraz udelikatniają skórę.

HIGIENA SPOŻYWANIA POSIŁKÓW

Prawidłowo ustalone i następnie prawidłowo i smacznie przyrządzone posiłki nie przyniosą pełnych korzyści, jeśli spożyte będą w pośpiechu, byle gdzie i byle jak.

Na dobre wykorzystanie pokarmów mają wpływ różne czynniki, a więc:

1) podawanie posiłków zawsze o tej samej godzinie, np. śniadanie o 7, obiad o 13, kolacja o 20;

2) zasiadanie do stołu z czysto umytymi po pracy rękami, w czystym ubraniu;

3) spożywanie posiłków przy stole nakrytym czystą ceratą lub obrusem, w czystych naczyniach oddzielnych dla każdej osoby;

4) pogodny nastrój przy stole; niepokój i kłótnie zmniejszają zdolność trawienia pokarmów;

5) krótki 15-20 minutowy odpoczynek po jedzeniu.

Pośpiech w spożywaniu posiłków sprawia, że nie gryziemy dokładnie pokarmów, przez co utrudniamy należyte trawienie.

ROŚLINY DONICZKOWE

Nawet najmniejsze i najskromniejsze mieszkanie będzie wyglądało ładnie, jeśli je ozdobimy.

Najładniejszą i najtańszą ozdobą domu są rośliny. Gospodynie wiejskie umieją uprawiać rośliny doniczkowe. Pelargonii, fuksji, begonii, prymulek, kaktusów o wielkich czerwonych kwiatach, jakie często znajdują się na oknach wiejskich domów, nie powstydziłby się żaden ogrodnik. Spotyka się też na wsi oleandry, chryzantemy i kalie – dorodne, okryte bujnym kwieciem.

We wsi Szkarada (podkr. – M.R) (w powiecie gostynińskim województwa warszawskiego, niedaleko Gąbina) już w maju można zobaczyć we wszystkich prawie mieszkaniach obficie kwitnące lewkonie.

Oto jak uprawiają lewkonie gospodynie ze Szkarady. Na jesieni wykopują z ogrodu dobrze rozgałęzione, ale dawno już przekwitłe i tracące liście rośliny lewkonii i przesadzają je ostrożnie do doniczek, uważając, aby nie zawinąć korzeni. Obcinają krótko pędy boczne, prawie przy samym pędzie głównym. Tak przyciętą roślinę trzymają w chłodnym pomieszczeniu, podlewając umiarkowanie. Po pewnym czasie w miejscach, w których pędy boczne odrastają od głównych, pojawiają się pączki, które tworzą nowe pędy boczne. Wtedy gospodynie przenoszą doniczki do jak najcieplejszego i najjaśniejszego pomieszczenia i często podlewają rośliny, które rosną wtedy normalnie; w maju każda z nich tworzy duży krzak z pachnącymi kiściami kwiatów.

W innych wsiach gospodynie w ten sam sposób uprawiają lwie paszcze.

CZYTAMY KSIĄŻKI, GAZETY, CZASOPISMA

„O, jak ja nieraz pragnęłam czytać, jak marzyłam o nauce" mówi Anna Tomaszewska z Zagajowiczek, powiat Inowrocław. „Pracowałam we dworze, człowiek był wtedy wyzyskiwany i poniżany, mogłam tylko tęsknić za książką. Dopiero po wojnie mogłam zaspokoić swoje pragnienia czytania książek. Mam już dziś 50 lat, ale gdy znajdę wolną chwilę – czytam. Czytam różne książki, i rolnicze, i te mówiące o dobrych, szlachetnych ludziach. Jedne pomagają mi ulepszać gospodarstwo, drugie uczą, jak żyć, jak postępować, by być lepszym".

Książka. Widzicie ją na wystawach, w bibliotekach, szkołach i świetlicach. A jeśli zagłębicie się w jej treść – poznacie tajemnice życia ludzkiego i przyrody, poznacie świat i rządzące nim prawa.

Jak żyć lepiej i piękniej? Co kochać, czego nienawidzieć (pis. oryg. – M.R.)? Gdzie co ulepszyć w gospodarstwie rolnym? Wszystko to opowie, objaśni, wytłumaczy książka. Wielki pisarz radziecki M. Gorki nazwał książkę „największym cudem cudów stworzonym przez ludzkość na drodze ku szczęściu i potężnej przyszłości".

„Mam 6-letnią córeczkę – pisze gospodyni z powiatu sokołowskiego – na imię jej Anulka. Taki brzdąc, a proszę, czym ona się już interesuje! Pyta:

– Mamusiu, co to jest węgiel?

– Węgiel – odpowiadam – to takie twarde, jak kamień, drzewo.

– A kto go tak – pokazuje na węgiel przed kuchnią – wysmarował?

Albo takie pytania: Dlaczego grzmi? Po co zachodzi słońce? Jak się robi szklankę?

Nie zbywam jej byle czym, ale odpowiadam, bo wiem, że to rozwija myślenie u dziecka. Tymczasem gdy patrzę na inne matki w naszej wsi, to aż serce się ściska. Dziecko pyta natarczywie, a niektóre z matek, zamiast dać mu słuszną odpowiedź, nazywają to «skaraniem boskim» lub poskramiają dzieciaki szturchańcami. W ten sposób wyrządzają, nie zdając sobie nawet sprawy, ogromną krzywdę swym dzieciom. Kierownik naszej szkoły często powtarza: «Czytajcie, rodzice, książki, bo przekonałem się, że dzieci tych rodziców, którzy czytają, lepiej się uczą». I podaje nieraz za przykład moje starsze dzieci. Ale czy tylko dzieci zadają pytania? Pytają również dorośli dorosłych o różne rzeczy. I gdzie spotykam rodziny, które czytają książki, tam jakoś przyjemniej żyją, jest większa zażyłość, ład, miłość, większy szacunek dla rodziców".

Związek Samopomocy Chłopskiej, pragnąc zachęcić do czytania książek jak najszersze rzesze pracujących chłopek i chłopów, ogłosił w 1950 roku konkurs czytelniczy. W trzech jego etapach brało udział przeszło 260 tysięcy czytelników. Czwarty etap objął ponad 612 tysięcy czytelników. Każdy z uczestników konkursu ma możność zdobycia cennej nagrody: radia, patefonu, aparatu fotograficznego, premii pieniężnej itp. Szczególnie wyróżnieni czytelnicy, którzy oprócz przeczytania wybranych przez siebie książek pozyskują jeszcze innych czytelników we wsi, otrzymują nagrody i odznaczani są złotymi, srebrnymi lub brązowymi odznakami przodownika czytelnictwa. Co mówią uczestnicy konkursu?

„Po ukończeniu kursu dla analfabetów – pisze Rozalia Zawrotna z Pełt, powiat Ostrołęka – wzięłam udział w konkursie czytelniczym. Przeczytałam pięć książek: *Matka*, *Janko Muzykant*, *Antek*, *Życiorys Stalina* i *Kobiety w Związku Radzieckim*. Teraz mogę pisać po przeczytaniu tych książek, co chciałabym wprowadzić w mojej gromadzie. Chcę, aby przy szkole była świetlica dla dzieci, żeby dzieci i tu mogły rozwijać swe zdolności, bo takich chłopców, jak Antek, Janko Muzykant czy Pawełek nie brakuje w naszej wsi. I chciałabym, aby nasze dzieci były dobrze wychowane, a ludzie nauczyli się lepiej gospodarować".

„Z chęcią zgłosiłam się do konkursu czytelników wiejskich – pisała w ankiecie konkursowej Maria Jakowiuk z Dubin, pow. Hajnówka – bo czytaliśmy i omawialiśmy książki wspólnie. Książki te, a szczególnie rolnicze, dały mi bardzo dużo wiadomości potrzebnych w codziennym życiu. Na przykład z książki *Chów kur* Dubiskiej nauczyłam się, jak trzeba chować kury, żeby osiągnąć jak najwięcej jaj. Uważam, że w naszej gromadzie wszystkie kobiety powinny tę książkę czytać, bo dużo jeszcze jest takich gospodyń, które nie umieją dobrze chować kur".

Na drugim krajowym zlocie przodowników-czytelników bibliotek wiejskich, który odbył się 30 i 31 maja 1953 roku w Warszawie, gospodarz Jan Klich z powiatu wrocławskiego powiedział:

„Książka woła do nas: «Weź mnie, kup mnie, pożycz mnie, przeczytaj mnie, pomyśl nade mną, a ja ci dam taką wiedzę, że sto ton podniesiesz jedną ręką. Dam ci taką wiedzę, że będzie ci się dobrze pracować»".

Praca w zespole czytelniczym

„Dobrze jest czytać książkę pojedynczo, ale znacznie lepiej czytać i omawiać ją w zespole", pisze Józefa Golda z Giebułtowa w powiecie olkuskim...

„Przeczytałam wiele książek, jak *Marta* Orzeszkowej, *Matka* Gorkiego, *Ojczyzna* Wasilewskiej i inne. Niektóre bardzo mi się podobały. Chętnie opowiedziałabym komu o moich wrażeniach, ale u nas we wsi nikt dotychczas nie urządzał dyskusji nad książką. Dlatego poszłam do Szyc, ażeby posłuchać, co inni czytelnicy mówią o przeczytanych książkach. Przyszłam posłuchać i podzielić się swoimi wrażeniami, ażeby się razem czegoś nauczyć".

Podobnie jak Józefa Golda myśli i mówi bardzo wiele kobiet na wsi, a szczególnie te, które czytają książki indywidualnie i głęboko je przeżywają, a nie mają okazji podzielenia się z kimkolwiek swoimi wrażeniami. Bardzo często nasuwają im się przy czytaniu różne wątpliwości. Chętnie zapytałyby inne czytelniczki, co one sądzą o tej samej książce, ażeby usłyszeć wyjaśnienie, pragnęłyby posłuchać, co mówią inni o książce, która im się podobała. Czy czytając tak samo przeżywali losy bohaterów? Czy postąpiliby tak samo, jak oni? Czy podobnie myśleli o różnych sprawach poruszanych przez autora? Czy zastanawiali się nad tym, co można z zawartych w książkach myśli przenieść we własne życie, w życie gromady?

Nic też dziwnego, że wiele czytelniczek chętnie zgłasza się do zespołów czytelniczych organizowanych przez kierowników gminnych bibliotek i punktów bibliotecznych w gromadach, przez kierowników świetlic gminnych i gromadzkich, przodowników czytelnictwa.

„Nasz zespół czytelniczy – mówiła na naradzie czytelniczej Jadwiga Lichteinstein z Mirkowa, pow. Oleśnica – czyta i omawia różne książki, jak *Antek* Prusa, *Opowieść o prawdziwym człowieku* Polewoja i inne. Ale kiedy przeczytaliśmy powieść *Żniwa* Nikołajewej, to wszyscy zobaczyliśmy jakby swoje własne życie. Mieliśmy w spółdzielni podobne trudności i kłopoty, jak bohaterzy książki w kołchozie. Długo wieczorami omawialiśmy treść książki i zastanawialiśmy się, jakby poprawić nasze życie na lepsze, podobnie, jak to robili bohaterzy książki. Dyskusje były ożywione, gorące, czasem ostre, ale pomogły nam wiele w przełamaniu trudności, w usprawnieniu pracy w brygadach: polowej i hodowlanej".

Podobnie jak w Mirkowie prowadzi się zespoły czytelnicze w tysiącach innych gromad.

Są kobiety, które uważają, że wspólne czytanie i omawianie książek zabiera dużo czasu, którego w gospodarstwie jest zawsze za mało. Czy jest to słuszne?

Doświadczenia wykazały, że można zespół zorganizować tak, aby wszystkie kobiety mogły w nim brać udział.

Tam gdzie znajdzie się grupa kobiet, które mają więcej czasu wieczorami, urządza się zajęcia w zespole w ten sposób, że czyta się i omawia książki wspólnie.

W wyznaczonych dniach i godzinach zbierają się uczestniczki w świetlicy, w szkole lub mieszkaniu jednej z nich. Kierowniczka zespołu lub kolejno poszczególne kobiety czytają wybraną książkę. Inne słuchają. Po przeczytaniu rozdziału książki lub ważniejszych jego części jedne zadają pytania, inne wyjaśniają lub uzupełniają wiadomościami z innych książek. Czytają książkę przez kilka lub kilkanaście wieczorów. Dopiero po przeczytaniu całości zastanawiają się, co w przeczytanej książce jest najważniejsze? Jeśli jest to książka rolnicza, to co z podanych zaleceń można zastosować w praktyce, we własnym gospodarstwie i w życiu całej gromady?

Tam gdzie kobiety nie mają wiele czasu na wspólne czytanie, można ułożyć prace w ten sposób, że uczestniczki zespołu czytają wybraną książkę w domu, gdy znajdą chwilę wolnego czasu. Schodzą się wspólnie tylko na dyskusję poświęconą przeczytanej książce. Ilość zebrań wówczas jest niewielka.

Oto, jak czytają zespołowo kobiety w Szelejowie, powiat Gostyń.

We wsi tej jest zwyczaj, że w zimowe wieczory kobiety zbierają się po domach na tak zwane „pierzochy” (darcie pierza). Wspólnie praca idzie im sprawniej i przyjemniej. Pewnego wieczora jedna z nich zaproponowała, aby „pierzochy" urozmaicić czytaniem książek. Wkrótce we wsi we wszystkich domach, w których matki darły pierze, córki czytały zajmujące książki. Czytanie takie przyjęło się w Szelejowie i warto je polecić wszystkim innym kobietom, nawet tym, które nie mają zwyczaju zbierania się na „pierzochy". Wspólne czytanie można przecież wprowadzić i podczas szycia i haftowania. Będzie wówczas podwójna korzyść.

Po przeczytaniu książki Chmieleckiego *Nasiona i siew* niektóre zespoły czytelnicze przeprowadzały próby kiełkowania nasion według podanych w książce wskazówek.

Przy omawianiu książki *Chów świń* Kielanowskiego niektóre zespoły robiły zestawienia pasz dostosowanych do możliwości ich gospodarstw.

Dobrze jest również zaprosić na omawianie czytanych książek rolniczych prelegenta Upowszechnienia Wiedzy Rolniczej i równocześnie postarać się o pokaz filmu rolniczego lub przezroczy. Można też zorganizować wycieczkę uczestniczek zespołu do wzorowo prowadzonej obory, chlewni czy kurnika.

Oglądanie filmów czy wyników wzorowej hodowli i uprawy roli nieraz więcej przekonuje niż słowa. Słusznie powiedziała jedna z uczestniczek zespołowego czytania po wyświetleniu filmu o zimnym wychowie cieląt w Zagórzu, województwo kieleckie: „Dobrze jest słuchać, ale jeszcze lepiej zobaczyć".

Jak zorganizowała Anna Smolik z Wygielzowa, pow. Chrzanów, zespół czytelniczy?

Oczytana, zdolna gospodyni chowała ładne prosięta. Ale nie poprzestała na tym. Wezwała do współzawodnictwa inne kobiety, członkinie Koła Gospodyń. A kiedy kobiety pytały ją, czemu ona zawdzięcza tak dobre wyniki w wychowie prosiąt, odrzekła: „Czytam książki rolnicze i stosuję podane w nich wskazówki".

Wówczas współzawodniczące gospodynie przystąpiły do czytania książek w zespole. Zaczęły je omawiać, porównywać podane zalecenia z dotychczasowym sposobem chowu świń. Przekonały się, że postępowały nie tak, jak trzeba. Zmieniły sposób karmienia i utrzymania. Prosięta rosły, chowały się ładnie i zdrowo. Rady i wskazówki zawarte w książkach okazały się słuszne. Dobre wyniki chowu tak przekonały kobiety, że obecnie nie tylko biorą udział w czytelnictwie zespołowym, ale posiadają podręczne biblioteczki, z których korzystają stale.

Dużo książek ukazuje się w naszym kraju. Powieści polskich autorów. Powieści radzieckich autorów, które cieszą się wielką poczytnością na wsi. Sporo drukuje się książek przystępnie napisanych, które otwierają nam drogę do poznania zarówno naszego kraju ojczystego i wielkich zmian, jakie w nim zachodzą, jak i bratnich krajów. Możemy też przeczytać w książkach, jak żyją ludzie pracy w krajach, w których panuje wyzysk i ucisk. Wszystkim dostępne są też dzisiaj książki rolnicze.

Nie zawsze umiemy sobie dobrać takie książki, które by nas zainteresowały, które są nam potrzebne.

Pomocą w wyborze służyć nam będzie biblioteka, nauczyciele, sąsiad-przodownik i organizator czytelnictwa. Powiedzą nam oni, w jakich książkach znajdziemy to, co nas interesuje. Oni swoją radą otwierają nam świat pięknych książek, korzystajmy więc z ich wskazówek.

Co daje nam gazeta?

Nie tylko książka jest naszym pomocnikiem i przyjacielem w codziennym życiu.

Gazeta przychodzi stale, trafia wszędzie.

Zazwyczaj na wsi najczęściej trafia najpierw do rąk kobiety. Bo gdy przychodzi listonosz, to najczęściej zastaje w domu kobietę. A jeśli wszyscy są w polu, a dom jest zamknięty na kłódkę – listonosz zatyka gazetę za klamkę – i stąd przeważnie bierze ją do rąk kobieta, gdy śpieszy z pola, aby przygotować posiłek.

I cóż się wtedy dzieje z gazetą?

Gospodyni popatrzy na jej pierwszą stronę, przejrzy ilustracje i odłoży.

Wtedy o czytaniu nie ma mowy. Czytanie gazety odkłada się na wolniejszy czas – na wieczór, na niedzielne popołudnie.

Ale jakże często i wieczorami i w niedzielne popołudnie gazeta leży i cierpliwie czeka na przeczytanie, bo wypadły inne sprawy: przyjechali goście, poszło się na pogawędkę...

Jest jeszcze wiele takich kobiet, które nie czytają gazet: jedne tłumaczą się brakiem czasu, inne uważają, że to sprawa mężczyzn. Kobiety te nie rozumieją w pełni znaczenia gazet lub nie doceniają korzyści, jakie mogą mieć ze stałego ich czytania.

A przecież gazeta przynosi zawsze coś nowego, ciekawego, interesującego z kraju i ze świata.

Ujawnia wrogów (podkr. – M.R) i stale ostrzega przed ich działalnością. A nade wszystko jest naszym życzliwym doradcą.

Wynaleziono nową maszynę – gazeta donosi, jaka z niej korzyść i jak można ją stosować. Osiągnięto wysoki plon – mówi, kto go osiągnął i jak. Jeśli podzielisz się z nią trudnościami, napiszesz do jej redakcji, pomoże ci je usunąć. Gromi wszystko to, co jest złe. Krytykuje i nie obraża się, jeżeli i ją krytykuje się, dlatego też powinna być stale czytana, nawet w okresie najgorętszych robót w polu.

Jak więc to zrobić ?

Przede wszystkim trzeba chcieć czytać. A jeżeli kobieta w ciągu dnia jest bardzo zajęta pracą, powinna dopilnować, aby któryś z domowników przeczytał gazetę i opowiedział, co w niej piszą. Każda gospodyni, kiedy obiera ziemniaki lub zagniata kluski, może przecież wysłuchać głośno czytanej, na przykład przez córkę czy syna, gazety. Dziecko wprawiać się będzie wówczas w czytaniu, kobieta zaś będzie codziennie wiedziała, co dzieje się w Polsce i za granicą, łatwiej będzie się orientowała we wszystkim, a i z sąsiadami będzie miała o czym porozmawiać i zawsze coś ciekawego im opowiedzieć.

Gazetę można też czytać głośno po obiedzie, gdy rodzina przez chwilę odpoczywa, a także podczas odpoczynków w czasie pracy w polu lub ogrodzie. W czytaniu gazet mogą również pomagać sobie wzajemnie same kobiety. Tak robią na przykład kobiety w Trzesiece, pow. szczecinecki. W okresie zimy zbierają się raz w tygodniu w świetlicy, gdzie wspólnie czytają i omawiają gazety z całego tygodnia, po każdym zaś zebraniu Koła Gospodyń czytają „Plon" lub „Mały Poradnik Rolnika". Nazywają to prasówkami.

Czy takie prasówki nie mogą się odbywać w każdej wsi? Tam gdzie nie ma świetlicy zbierać się przecież można w mieszkaniach. Musi tylko o to dbać Koło Gospodyń. I nie tylko w okresie zimy, ale i w lecie. Wtedy takie prasówki można urządzać w każde niedzielne popołudnie w cieniu drzew, na łączce bądź na przyzbach przed domami.

Sposoby czytania mogą być różne. Na przykład jedna z kobiet czyta głośno gazetę, inne zaś słuchają. Można przeczytać jeden, dwa, trzy artykuły, następnie rozmawiać o wydarzeniach, o których mówią.

Kobiety mogą również umówić się zawczasu, co która z nich przeczyta z gazety w ciągu tygodnia. Na przykład jedna przeczyta o tym, co się działo w kraju, druga o wydarzeniach w świecie, trzecia o rolnictwie, czwarta – odcinek powieści drukowanej w gazecie itd. Następnie, podczas wspólnego spotkania, każda opowie innym to, co przeczytała. Każda więc kobieta będzie czytała tylko pewną część gazety, a z opowiadań pozna jej całą treść.

Nie należy również zapominać o tym, aby do prasówek wciągnąć także mężów i młodzież.

Czytanie gazet na wsi przez kobiety weszło już w zwyczaj i nie sposób sobie wyobrazić dzisiaj życia bez gazety. Dzisiaj „Gromada – Rolnik Polski", „Przyjaciółka", „Chłopska Droga" i inne gazety docierają do każdej wsi, niemal do każdego domu.

Czytamy czasopisma i książki rolnicze

Szczególną pomocą w pracy kobiety wiejskiej są czasopisma i książki rolnicze.

Każda gospodyni wiejska ma możność wyboru – zgodnie ze swymi zainteresowaniami i potrzebami – odpowiedniego dla siebie czasopisma rolniczego, które może zaprenumerować u listonosza lub na poczcie.

„Plon" – to ilustrowany miesięcznik rolniczy, który zamieszcza wiadomości ze wszystkich dziedzin gospodarstwa wiejskiego, a więc o uprawie roli i roślin, o chowie zwierząt gospodarskich, o ogrodnictwie, mechanizacji rolnictwa, o doświadczeniach rolnictwa radzieckiego i krajów demokracji ludowej.

„Plon" upowszechnia nowe, wydajniejsze metody pracy oparte na doświadczeniach przodujących rolników i zdobyczach nauki rolniczej.

W dziale „Doświadczalnictwo – ruch miczurinowski" „Plon" podaje sposoby przeprowadzania doświadczeń.

„Mały Poradnik Rolnika" – to popularna biblioteczka rolnicza w prenumeracie. W miesiącu ukazują się dwie broszurki „Małego Poradnika". Każda broszurka obejmuje jeden temat z uprawy roli i roślin lub hodowli. Biblioteczka ta niesie pomoc uczestnikom konkursu hodowlanego ZSCh.

Miesięcznik „Hodowca Drobnego Inwentarza" – niesie radę i pomoc hodowcom drobiu, kóz, królików, gołębi, zwierząt futerkowych i jedwabników.

„Przegląd Ogrodniczy” – jest miesięcznikiem popularnym dla sadowników, warzywników i kwiaciarzy oraz dla brygadzistów ogrodniczych spółdzielni produkcyjnych i państwowych gospodarstw rolnych.

„Pszczelarstwo” – to miesięcznik poświęcony sprawom gospodarki pasiecznej. Przeznaczony jest dla pszczelarzy – zarówno tych, którzy w gospodarstwie indywidualnym lub na działce przyzagrodowej mają po kilka lub kilkanaście uli, jak i tych, którzy prowadzą duże pasieki w spółdzielniach produkcyjnych lub w państwowych gospodarstwach rolnych.

Każde czasopismo prowadzi dział listów i fachowych porad z poszczególnych dziedzin gospodarstwa wiejskiego. W sprawie porad rolniczych, a także w innych sprawach związanych z pracą w gospodarstwie rolnym można pisać do redakcji każdego czasopisma.

Dla lepszego gospodarowania potrzebna jest gospodyni książka rolnicza. Uczestniczki konkursu czytelniczego i hodowlanego szeroko korzystają z książek rolniczych, które można dziś nabyć w każdym sklepie spółdzielczym na wsi albo w księgarni w mieście. Można też listownie zamówić książki w księgarniach wysyłkowych w miastach wojewódzkich lub w Centralnej Księgarni Wysyłkowej w Warszawie, Plac Dąbrowskiego 8.

Trudno jest niejednokrotnie dobrać sobie taką książkę, jakiej nam trzeba. Doradcą w tej sprawie będzie agronom, bibliotekarz, nauczyciel, redakcja czasopisma rolniczego.

Coraz więcej wychodzi praktycznych poradników z zakresu uprawy roli i roślin, ogrodnictwa, nawożenia, gospodarki paszowej i hodowli zwierząt gospodarskich, coraz lepszą dają one pomoc rolnikom w ich gospodarce.

Spośród najbardziej potrzebnych poradników będzie można niebawem kupić w księgarniach i gminnych spółdzielniach następujące: *Poradnik uprawy roli i roślin*, *Poradnik gospodarki paszowej*, *Poradnik chowu świń*, *Poradnik chowu bydła*, *Poradnik chowu drobiu*, *Poradnik ochrony roślin* i inne.

Czytelnictwo książek i czasopism rolniczych – to poważny środek upowszechnienia wiedzy rolniczej na wsi i wymiany doświadczeń między rolnikami, to pomoc w zwiększeniu plonów, w podniesieniu hodowli.

JAK ZORGANIZOWAĆ ZESPÓŁ ŚPIEWACZY, TANECZNY I TEATRALNY

W świetlicy gromadzkiej w Zagórzu, woj. kieleckie, mieszczącej się w mieszkaniu Tadeusza Pedryca schodzi się młodzież i starsi na zajęcia zespołu czytelniczego. Jeszcze nie ma wszystkich, a tymczasem, żeby się nie nudzić, kierownik nuci melodię, którą podchwytują wszyscy i płynie żartobliwa piosenka „Mazowsza": *Kukułeczka kuka, chłopiec panny szuka.*

W świetlicy w Zagórzu pracują już zespoły: czytelniczy, upowszechnienia wiedzy rolniczej, teatralny, taneczny, redakcyjny.

Pragnąc, aby w świetlicy każdy znalazł coś dla

siebie, postanowili zorganizować zespół chóralny. Zwolennicy śpiewu w Zagórzu zorientowali się jednak szybko, że wśród nich nie ma kto prowadzić chóru na 3 czy 4 głosy, nie ma w gromadzie człowieka, który by znał na tyle nuty, czy grę na jakimś instrumencie, by podjąć się uczyć pieśni na głosy. Nawet harmonista, który bardzo dobrze przygrywa zespołowi tanecznemu – nut nie zna. Co tu robić? Śpiewali wprawdzie ten i ów w świetlicy, ale gdy przyszło wystąpić na wieczornicy – nie było komu. Zwróciły ich uwagę występy chóru Państwowego Zespołu Pieśni i Tańca „Mazowsze" nadawane dość często przez radio. Piosenki te podobały się bardzo, zwłaszcza słowa i melodia *Kukułeczki* utkwiły im w pamięci. Postarali się więc o płyty i słowa do zbioru pieśni „Mazowsza" i zaczęli się ich uczyć przy patefonie. W ten sposób poznali wiele pieśni; teraz wszyscy zagórzanie pilnie śledzą audycje radiowe, a młodzież dojeżdżająca do szkół i do pracy stara się o płyty z nagranymi pieśniami zasłyszanymi przez radio. Zakupuje też w księgarniach zbiory pieśni i z nich uczy się nowych piosenek. Jedna ze świetliczanek uczęszcza do szkoły muzycznej, niedługo więc będzie mogła podjąć się prowadzenia w świetlicy chóru wielogłosowego.

Podobnie jak w Zagórzu jest i w świetlicy gromadzkiej w Brzezince, woj. krakowskie. Duża część mieszkańców tej gromady dochodzi do pracy do Zakładów Przemysłu Bawełnianego w Andrychowie i tam bierze udział w pracach przyzakładowych zespołów świetlicowych, a wracając do gromady przekazują swoim koleżankom i kolegom to wszystko, czego się tam nauczyli. Wanda Pasternak tam właśnie nauczyła się piosenek: *Gdy nasz oddział ZMP-owski maszeruje w dal...*, *Na strażnicy*, *Piosenka na Dzień Kobiet* – i innych. Piosenki te najpierw nauczyła się śpiewać ośmioosobowa grupa młodzieżowa świetlicy gromadzkiej. Ale Pasternak nie poprzestaje na tym. Pieśni przyniesione przez siebie i innych do świetlicy upowszechnia wśród wszystkich mieszkańców gromady w czasie zajęć świetlicowych czy też wykorzystując chwile, kiedy mieszkańcy schodzą się na zebranie.

W świetlicy gminnej w Tymanach, woj. gdańskie, zorganizowano zespół śpiewaczy. Wieczorem w świetlicy każdy pragnie podzielić się zasłyszaną w pracy czy szkole piosenką. Kierownik świetlicy skupia więc koło siebie grupę chętnych, pomaga piosenkę urozmaicić, dobierając drugi głos. Dotychczas jednak w Tymanach nie śpiewano miejscowych pieśni kaszubskich. Postanowili więc do pomocy zaprosić najstarszych mieszkańców gromady, którzy pamiętają jeszcze dawne pieśni czy to z zabaw, z obrzędów weselnych, czy inne. Tak jak w Tymanach, pracują już zespoły świetlicowe w Kozłowej Górze, Wiśle, w Kartuzach Wsi, woj. gdyńskie, Dąbrówce, woj. zielonogórskie, czy w wiejskim Domu Kultury w Twierdzy, woj. rzeszowskie. W pracy tych świetlic szczególnie dużo pomagają kobiety, które znają wiele dawnych pieśni i przekazują je skrzętnie młodzieży.

Inaczej zupełnie wygląda praca w gromadzie, gdzie znajdziemy kogoś znającego grę z nut na jakimkolwiek instrumencie. W Bąkowicach, woj. opolskie, kierownik tamtejszej szkoły Leon Zmora jest jednocześnie dobrym skrzypkiem. Początkowo prowadził on chór z młodzieżą szkolną. Po kilkakrotnych występach chóru szkolnego mieszkańcy gromady poprosili go, by zorganizował chór świetlicowy ze starszymi. Zachęcony tym kierownik ogłosił pierwszą próbę chóru, na którą przybyło bardzo wielu mieszkańców Bąkowic – począwszy od młodzieży w wieku pozaszkolnym do ludzi liczących ponad 50 lat. Kierownik wypróbował ich głosy i zorganizował chór wielogłosowy, który obecnie ma za sobą już parę lat pracy i wiele występów, bierze udział w konkursach i przeglądach zespołów, dzięki swej stałej pracy i starannemu opracowaniu każdej pieśni i każdego głosu osiąga dobre wyniki i zdobywa uznanie. I mimo że corocznie z chóru ubywa kilka osób, odchodząc do szkół, na kursy, do wojska czy wyjeżdżając do pracy, chór pracuje nieprzerwanie – zasila go dorastająca młodzież kończąca tamtejszą szkołę. Leon Zmora oprócz swych zajęć zawodowych podjął się również prowadzenia chórów w gromadach sąsiednich, do których dojeżdża sam na próby lub też w niektóre dnie ustala zbiorowe próby w Bąkowicach. Zdarza się wtenczas, że w świetlicy bąkowickiej śpiewa ponadstuosobowy chór.

Świetlica w Zagórzu, Brzezince, Tymanach czy Bąkowicach – to zaledwie kilka przykładów tego, jak zorganizować zespół śpiewaczy; prawie każda świetlica organizuje taki zespół na swój sposób w zależności od warunków, w jakich się znajduje. W każdym razie trzeba się najpierw rozpatrzeć w gromadzie, czy są możliwości zorganizowania chóru wielogłosowego, czy początkowo tylko zespołu śpiewaczego.

Zastanówmy się, jak zorganizować chór w Waszej gromadzie. Może jest u Was uczeń dojeżdżający do szkoły muzycznej? Jest wielu muzyków skupiających się w kapelach ludowych – może uda się Wam wciągnąć ich do pracy w świetlicy. A może któraś z Was, koleżanki, podejmie się nauczyć zespół tych piosenek, które sama zna? Zwłaszcza korzystając z patefonu, łatwo można się nauczyć pieśni. Gdy znajdziemy kierownika zespołu, musimy szukać sposobu, jak zachęcić całą gromadę do śpiewu, wykorzystując czas przed lub po zebraniu gromadzkim czy zebraniu Koła Gospodyń. Zaproponujcie wtedy naukę jednej pieśni. To samo możemy zrobić w czasie wieczorków organizowanych przy różnych okazjach czy w czasie zabaw.

Nie musimy od razu uczyć wszystkich zwrotek piosenki, wystarczy jedna czy dwie, dokończymy nauki na następnym zebraniu. Możemy już wówczas wprowadzić takie urozmaicenia, że w zależności od słów piosenki część śpiewają kobiety, część mężczyźni, to znowu wszyscy razem. Tym sposobem rozśpiewamy całą gromadę i zachęcimy do zorganizowania stałego zespołu śpiewaczego lub chóralnego. Do tych zespołów dobieramy już spośród mieszkańców gromady grupę osób najbardziej uzdolnionych muzycznie i chętnych.

Każda z Was, koleżanki, powinna wiedzieć o tym, że tylko zespół chóralny musi prowadzić odpowiednio przygotowany muzyk-dyrygent, natomiast zespół śpiewaczy, w którym cała grupa śpiewa tylko jednym głosem, mogą prowadzić uczestnicy świetlicy, którzy mają sposobność nauczyć się piosenek w szkole czy zakładzie pracy, na zbiórkach hufców „SP" czy w innych okolicznościach.

Jeżeli poprowadzicie śpiew w świetlicy przy okazji zebrań czy zabaw, to w ten sposób zjednacie dla zespołu śpiewaczego czy chóralnego wciąż nowych uczestników.

Kulinaria

Jak zużyć płatki?

Często nie wiemy, jak zużyć przydziałowe płatki owsiane, rzadko dotąd stosowane w naszej kuchni. A można z nich sporządzić potrawy pożywne i naprawdę smaczne. Oto np.:

Kotlety z płatków owsianych

Pół kg płatków owsianych, 2 jajka (lub 10 dkg jaj w proszku), 4 dkg tłuszczu, sól, pieprz, cebula.

Płatki wrzucić na wrzącą wodę i ugotować na gęsto. (Najlepiej ugotować w przeddzień, aby masa należycie stężała).

Gdy zimne, wbić jajka, dodać przesmażoną cebulę, osolić i popieprzyć do smaku, a następnie starannie utrzeć.

Ukształtować kotlety, obtoczyć w mące, jajku i bułce tartej i smażyć na rozgrzanym tłuszczu. Podać z surówką, kwaśną jarzyną lub ostrym sosem.

***

Wykorzystanie resztek świątecznych

Każda gospodyni powinna tak przygotować jedzenie na święta, by wszystko zostało spożyte, bez pozostawiania tzw. resztek. A jeśli już zostaną nam po świętach skrawki mięsa czy sczerstwiałe ciasto, postarajmy się je tak zużytkować, by nic się w naszym gospodarstwie nie zmarnowało.

Podajemy kilka przepisów na potrawy z resztek świątecznych, które już przez samą odrębność od codziennych będą na pewno wszystkim smakowały.

Legumina z czerstwego ciasta drożdżowego

Pokrajać placek w cienkie plastry, posmarować każdy marmoladą lub powidłami śliwkowymi, skropić arakiem, na wierzchu położyć cienką warstwę z żółtek ubitych z cukrem i wanilią.

Legumina z czerstwej strucli z makiem

Pokrajać struclę w cienkie plastry, skropić zimnym przegotowanym mlekiem, pokryć warstwą śmietany ubitej z cukrem i wymieszanej z konfiturami, osączonymi z soku.

***

Fałszywa ryba w galarecie

Kaszki manny ćwierć kg utrzeć wałkiem w donicy z łyżką masła, drobniutko usiekaną cebulką i 1 surowym jajkiem na jednolitą masę. Oddzielnie ugotować mocny wywar z włoszczyzny z korzeniami, przecedzić go. Utartą masę z kaszy osolić i popieprzyć do smaku, jeśli masa jest zbyt gęsta, dodać surowe jajko lub trochę wody, jeśli za rzadka – nieco tartej bułki. Wymieszać dobrze, uformować pulpety, jak do flaków, wrzucić je na gotujący się wywar, gotować 10 minut. Wyjąć je durszlakową łyżką, ułożyć na głębszej salaterce, przybrać plasterkami gotowanej marchewki i pietruszki, zalać wywarem z dodatkiem żelatyny (1 dkg. na szklankę płynu), postawić w chłodzie do zastygnięcia. Taka galaretka ma smak zbliżony do rybnej.

***

Ciastka na skwarkach

Wziąć 5 dkg (czubatą łyżkę) przysmażonych na biało skwarek (ze słoninki zmielonej przez maszynkę), dodać 1 żółtko na twardo, 1 jajko surowe, 3 dkg orzechów zmielonych, 2 łyżki cukru, mąki ile wejdzie i ¼ łyżeczki sody oczyszczonej. Wszystko dokładnie wymieszać, przesiekać naprzód nożem, potem zagnieść, cienko rozwałkować, wykrawać ciasteczka, posmarować każde rozbitym jajkiem, posypać grubym cukrem i upiec w średnim piecu.

***

Jarskie flaczki

Usmażyć naleśniki z 1 jajka, szklanki wody i mąki. Kiedy ostygną, pokrajać je w wąskie paseczki, długości kilku centymetrów. Oddzielnie poszatkować kilka marchwi, dwie średnie pietruszki, kawałek selera, cebulę, cząstkę włoskiej kapusty. Wszystko udusić w małej ilości wody z kawałkiem masła, zaprawiając w końcu zasmażkę z mąki i masła lub dobrej margaryny. Dobrze jest wzmocnić smak flaczków kostką bulionową, po czym zaprawić go pieprzem, utartym majerankiem, wszystko dobrze mieszając.

Do jarzyn włożyć pokrajane w paski naleśniki, raz zagotować i podać polane masłem przesmażonym z tartą bułką.

***

Herbata zastępcza z jabłek

Jabłka przed obraniem umyć starannie w zimnej wodzie, potem sparzyć wrzątkiem, natychmiast wyjąć i wytrzeć czystą ściereczką do sucha. Skórkę obrać bardzo ostrym nożem, jak najcieniej. Ułożyć ją na sicie, przesuszyć na powietrzu. Rozsypać na ciepłej (lecz nie gorącej) płycie kuchennej na czystym papierze. Wysuszone skórki włożyć do słoja, zawiązać go szczelnie pergaminem. Zaparzać jak herbatę. Z dodatkiem mleka jest to bardzo smaczny i zdrowy napój, doskonale zastępujący drogą herbatę.

Krótki komentarz:

Powyższe przepisy zamieszczało w drugiej połowie lat czterdziestych czasopismo kobiece „Moda i Życie Praktyczne", próbując jednocześnie przekonać czytelniczki do dobrodziejstw jarskiej kuchni. Nie należy tego bynajmniej traktować w kategoriach kulinarnych ekstrawagancji. Od 1 maja 1945 roku do 1 stycznia 1949 w całym kraju obowiązywała reglamentacja żywności oraz artykułów przemysłowych, a zatem wegetariańskie wynalazki były po prostu konsekwencją „ograniczeń na odcinku spożycia mięsa". Wśród specjałów lansowanych na łamach czasopisma (późniejszego tygodnika „Kobieta i Życie") znajdowały się również „fałszywe zrazy nelsońskie" (z grzybów i ziemniaków), „gulasz jarski", „kotlety ze szpinaku", „kotlety z grochu" oraz „pulpety z twarogu i bułki". Smacznego! – M.R.

Z listów

Telewidz ma zawsze rację

(imiona i nazwiska zostały zmienione)

Bardzo szanuję Waszą działalność, jaką prowadzicie.

Doceniam również trud, jaki wkładacie, aby zadowolić każdego widza. Czasami, szczególnie w dzień odpoczynku, strasznie nudzicie, ale jakoś można wytrzymać. W tygodniu jest nieco inaczej, programy wszelkiego rodzaju są ciekawe i urozmaicone, na pewno zadowolą każdego. Ale to, co pokazaliście w czwartek, dnia 29 lipca 1971 r. przekracza granice wytrzymałości. Ludzie, którzy napisali scenariusz do filmu pt. *Hydrozagadka* (w reżyserii Andrzeja Kondratiuka – M.R.), zasługują nie tylko na surową naganę, ale na przykładne ukaranie. Wydaje mi się, że nie jesteśmy na tyle bogaci, aby trwonić bezmyślnie pieniądze (których na pewno na głupoty nie mamy). Dziwię się cenzurze, przez jaką przechodzi każda pozycja programu, że taka bzdura potrafi ich zadowolić. Nie mam również podziwu dla tak zwanych aktorów, którzy chyba z nadmiaru pieniędzy i braku zajęcia parają się tak brukowymi filmami, nie licząc się w ogóle z opinią publiczną. Droga Telewizjo, nie chcę więcej Wam wytykać, ale naprawdę wyciągnijcie wnioski i nie puszczajcie takich bzdur. Nie jesteśmy aż tak psychicznie wypoczęci, aby takie wariacje oglądać.

lipiec 1971, anonim

***

Słuchając audycji zmieniłam godziny udoju. Do tej pory doiłam trzy razy dziennie. Teraz udój odbywa się 2 razy, rano i wieczorem. Krowy się tym nie męczą, ponieważ jest większe ciśnienie. Dla mnie jest też lżej. Udój robię bardzo starannie, myję wymiona, cedzę mleko i odstawiam do ochłodzenia. O 4 rano mleko w bańce wystawiam przed bramę, wtedy jeden gospodarz zabiera wszystkie bańki i odwozi do zlewni.

Październik 1971, Kazimiera N.

***

Zwracam się do was z prośbą, aby nigdy więcej nie powtarzały się podobne filmy nadawane przez telewizję, jak film polski pt. *Dziura w ziemi* nadawany przed kilkoma dniami i film pt. *Struktura kryształu* nadawany dzisiaj, t.j. 10 grudnia b.r. Przecież po prostu człowieka krew zalewa, jak patrzy na taki film jak dzisiaj. A ciekawa jestem, jaką szkołę kończył reżyser i twórca owego wspaniałego filmu (*Struktura kryształu*).

Kto tylko oglądał ten film, to każdego szlag trafia, że telewizja potrafi coś podobnego ludziom pokazać. To skandal, żeby coś podobnego pokazać w telewizji. A wydaje mi się, że z opinią publiczną należy się liczyć i musicie się liczyć. Wy – telewizja – jako środek masowego przekazu kultury dla szerokich mas społeczeństwa powinniście się doprawdy wstydzić coś podobnego pokazywać. Przecież to jest po prostu przysłowiowa lipa i chała. Czy nie stać Was na to, aby coś lepszego pokazywać swoim widzom? Zupełnie tego wszystkiego nie rozumiem. Chyba nie sądzicie, że społeczeństwo polskie to sami analfabeci, na niczym się nie zna i można im pokazywać byle co. Od dawna należą się Wam już tęgie baty za ten cały program, w którym doprawdy nie ma nic godnego uwagi. I broń was Boże na przyszłość pokazać ludziom takie świństwo bez żadnej wartości, jak dzisiejszy film *Struktura kryształu*. A tym bardziej zwróćcie uwagę i dołóżcie trochę starań na przygotowanie programu świątecznego.

grudzień 1971, anonim

Struktura kryształu (reż. Krzysztof Zanussi) i *Dziura w ziemi* (reż. Andrzej Kondratiuk) były filmami nagradzanymi na festiwalach międzynarodowych. Pierwszy otrzymał nagrodę w Mar del Plata (1969), a drugi – Wielką Nagrodę Specjalną Jury w Karlowych Warach (1970). Okazuje się jednak, że to, co podobało się krytykom, niekoniecznie trafiało do gustu „mas pracujących" – przyp. M.R.

***

W imieniu grona mi bliskich telewidzów chciałbym złożyć TV słowa wielkiego uznania za program w czasie VI Zjazdu PZPR. Cudowne koncerty poświęcone VI Zjazdowi wzbudziły w nas szczery zachwyt. Okazuje się, że nasza telewizja jest w stanie dać swoim telewidzom to, co najwspanialsze w naszej poezji, muzyce i piosence.

grudzień 1971, anonim

***

Moja cierpliwość przeszła już granicę wytrzymałości po obejrzeniu jubileuszowego *Gallux Show* nadanego dn. 18.06.72 w reżyserii Olgi Lipińskiej. Nie mam wysokich wymagań co do programów rozrywkowych. Dla mnie to program nudny, głupoty i błazeństwo. Nie wiem, kto mógł wpuścić taki program na ekrany TV. Występujący w tym programie zanudzają jałowymi dyskusjami, piosenkami i sytuacjami. Wojciech Pokora i Bogdan Łazuka robią z siebie parę błaznów, a nie komików. Występują ciągle ci sami aktorzy, starają się jak najlepiej, ale im nic nie wychodzi. Cały program to bubel, nie nadający się do przedstawiania na szklanych ekranach. Ostatnio zauważam, że programy rozrywkowe są coraz bardziej nudne. Reżyserzy starają się stworzyć jakiś program ambitny i na poziomie, ale im się nie udaje. Czyż nie można zamiast kilku programów-bubli stworzyć jeden, ale dobry? Nie chcę stawiać za przykład programów rozrywkowych włoskich czy angielskich, bo polska telewizja nie jest w stanie wyprodukować takiego programu (przynajmniej na razie).

czerwiec 1972, anonim

***

Zwracam się do TV w Warszawie w sprawie, która dotyczy ostatniej serii filmu telewizyjnego pt.: *Dok-*

tor Ewa (reż. Henryk Kluba, w roli głównej Ewa Wiśniewska – M.R.). Jest w tym filmie bardzo dużo takich sytuacji, których nie można nazwać inaczej, jak głupie, ale ja nie jestem krytykiem filmowym tylko normalnym człowiekiem. Jedna sprawa, która mnie wyprowadza z równowagi, to jest to, że przy oglądaniu tego filmu była taka sytuacja, jak ta pani „Ewa" jedzie ciągnikiem C 4011, ale głos jest z ciągnika Ursus 4-5. Taka sama sprawa jest z motocyklem MZ-250, no ale znów ten głos WFM-ki nie pasuje, bo mnie jeszcze nie zdarzyło się w życiu, żeby jechać koniem i było słychać z wozu turkot zamiast huku silnika odrzutowego. Jestem, panowie, kierowcą od ośmiu lat i prowadziłem w swym życiu wiele maszyn, ale jeszcze tak prowadzić, jak to się dzieje w filmie *Doktor Ewa*, to nie.

czerwiec 1972, anonim

***

Pisząc ten list do Telewizji, mam prośbę, ażeby filmy produkowane przez kinematografię miały inny cel i zadania, ażeby telewidza zainteresowały oraz uczyły w wyciąganiu pewnych wniosków etycznych. Film *Dr Ewa* nie spełnia tego zadania, a wręcz przeciwnie, ośmiesza środowisko wiejskie, jak mało znaczące, ogólna ciemnota, zabobon itp. sprawy. Film dobry byłby w średniowieczu, ale dziś w drugiej połowie XX wieku, staje się śmieszny i godny współczucia dla realizatorów, którzy nie mają zielonego pojęcia o rozwoju wsi i jej kulturze. Dziś lekarz na wsi to nic nowego – tak samo jak agronom, zootechnik czy lekarz weterynarii, który codziennie pracuje i spotyka się z rolnikiem służąc pomocą i radami. Dr Ewa jest osobą zarozumiałą, uważa siebie ponad wszystko. Cyniczny uśmiech oraz mimika twarzy świadczą o zniewadze ludzi pracy, a tym samym poniża ludzi pracy na wsi. Brak realizmu socjalistycznego, ludzi pracy, którzy ją ukształtowali i ona musi im służyć, jest to jej świętym obowiązkiem, ale w sposób inny.

czerwiec 1972, anonim

***

Po obejrzeniu filmu *Dziewczyny do wzięcia* (w reżyserii Janusza Kondratiuka, brata Andrzeja – M.R.) młodzież naszego środowiska chce wyrazić swoją opinię na jego temat. Film pokazuje młodzież w najgorszym świetle – dno, brudy, oburzenie, niesmak. Film nie przedstawia dla nas żadnych wartości, ani artystycznych, ani moralnych. My tacy nie jesteśmy, nie chcemy być wychowani na takich wzorach. Wiadomo, że są to bohaterowie negatywni, ale dlaczego takimi właśnie karmicie młode pokolenie. Żaden rozsądny chłopiec nie popatrzy nawet na takie głupie, łatwe dziewczyny, ani żadna szanująca się dziewczyna nie pozwoli sobie na podobne wypady, jak to pokazano w filmie. Dlaczego w filmach rosyjskich nie pokazują takich wstrętnych scen? Dlaczego tam umie młodzież pracować i bawić się przyjemnie? Miłość u nich to uczucie, a nie tylko kontakt fizyczny w najobrzydliwszej formie.

sierpień 1972, anonim

***

My, mieszkańcy Starego Sącza, protestujemy przeciwko wyświetlaniu przez Telewizję warszawską filmów takich, jak w dniu 29 sierpnia o godz. 20.05 pt. *Dziewczyny do wzięcia*, w którym był pokazany, bez żadnego owijania w bawełnę, stosunek seksualny. To jest demoralizacja młodzieży i publiczna zniewaga telewidzów. To świadczy o zwyrodnieniu pewnych warstw, które sobie życzą, aby ogół ludności był też zwyrodniały. Przecież każdemu wiadomo, że stosunki płciowe odbywają się w największej skrytości i pokazywanie ich publicznie jest ohydne i brutalne. Wyświetlanie takich filmów jest ohydne i żenujące. Proszę sobie wyobrazić, jak się czują w trakcie wyświetlania takiego filmu, gdy siedzą obok siebie starsi już rodzice i dorastające dzieci. U nas 17-letnia córka, uczennica liceum, doskoczyła i wyłączyła telewizor. I co za głupia sprzeczność, o godz. 19.00 wyświetlano rozmowę na temat, jak zapobiegać demoralizacji młodzieży. W ten sam dzień, za godzinę, film seksualny. To tak wygląda jak żołnierz, który walczy w obronie kraju, a za chwilę pomaga wrogowi. W zachodnich krajach, którym zarzucamy demoralizację, filmy seksualne są wyświetlane w specjalnych pomieszczeniach, niedostępnych dla ogółu. Kończąc, jeszcze raz wyrażam ostry protest.

sierpień 1972, mieszkaniec Starego Sącza

***

My, telewidzowie, jesteśmy zmęczeni pokazywaniem nagości, wybujałego seksu, który niestety opanował i naszą telewizję i wdarł się brutalnie do programów przez nią nadawanych. Ta nagość już nikogo nie bierze, a jest niebezpieczna dla nas, młodych, podsuwa bowiem niezdrowe myśli i potem społeczeństwo się dziwi, że nasza młodzież uprawia zbiorowe gwałty, zabawy seksualne na prywatkach i gdzie się da. Kto tę młodzież deprawuje, uczy, kto rozbudza pragnienia seksualne i to często przedwcześnie – jak nie Telewizja, kina i teatry z dzisiejszymi programami. Nie mamy szacunku dla takich aktorek, aktorów pokazujących się nago w niewyszukanych sytuacjach. Czyż tylko takie programy są dobre, które pokazują sceny miłosne i łóżko? Żałosne są takie programy. Nie tak dawno była w telewizji pokazana scena seksualna w *Pożądaniu zwanym Anada* – naszym zdaniem ohydnie wyreżyserowana i nie dla młodych widzów, a trudno ustrzec, by młodzież nie oglądała niedozwolonych dla niej programów. Od tego nie można ustrzec. Starsi także byli zdania, że sceny te pokazane, nie były wcale potrzebne i że trzeba było mieć więcej subtelności i poszanowania uczuć telewidzów, a nie brutalnej ingerencji telewizji i reżysera w strefę uczuć i miłości ludzkiej. Jeśli taka jest miłość, to nie przemówi ona do nas. Takie sceny uczą nas lekceważenia, a nie szacunku dla intymnych przeżywań człowieka. Nie dziwmy się, że ludzkość ma dość seksu, nagości i wyuzdania szerzącego się w kinach, teatrach i telewizji.

luty 1973, bez podpisu

***

Zwracamy się, i to nie pierwszy raz, z prośbą o jakąś kontrolę nad tymi pseudo artystami, muzykami i śpiewakami, którzy występują przed kamerami telewizyjnymi. Żołnierz, gdy opuszcza koszary, powinien przejrzeć się w lustrze, jak wygląda, a następnie przedstawić się swojemu przełożonemu, że idzie na miasto, na widok publiczny i jak on wygląda. Niestety, ci panowie, którzy występują przed kamerami na pewno żadnej kontroli nie przechodzą. Niechlujnie ubrani, a najprawdopodobniej brudni (na ekranie trudno stwierdzić, a należy przypuszczać), nie uczesani, wyglądy twarzy u niektórych robią wrażenie alkoholików i czy naprawdę nad tym zbiorowiskiem różnego rodzaju pseudo artystów nie ma żadnej kontroli? Niestety, te sprawy mało interesowały stare kierownictwo Komitetu ds. Radia i Telewizji, a obecnie to już całkiem nikt tą kulturą, tą estetyką nie interesuje się, a tak przecież dużo się mówi o wyglądzie miast, ulic i wszelkich zakątków, i to w telewizji, a ludzie występujący w tej właśnie telewizji nieraz wyglądają jak dzikusy, jak Papuasi, jak ludzie z tego nowo odkrytego szczepu i to nam się nie podoba i będziemy wskazywali i piętnowali.

czerwiec 1973, bez podpisu

***

Mamy prośbę, żebyście nie wyświetlali takich filmów. Taki brutalny film odbył się 2 grudnia pt. *Perła w koronie* (reż. Kazimierz Kutz – M.R.), był to bardzo ładny film, tylko niepotrzebne było to leżenie nago. Nie można takiego filmu wyświetlać. Patrzyły na to dzieci i skąd mają dzieci się dobrego uczyć, jeżeli ludzie dorośli taką scenę robią, jeżeli nadajecie, to trzeba powiedzieć, od ilu to lat, my dorośli wstydziliśmy się na to patrzeć.

grudzień 1973, anonim

***

Uprzejmie proszę o wyrzucenie z pracy aktora Kaczyńskiego (chodzi o prezentera Bogusława Kaczyńskiego – M.R.). Prośbę swą uzasadniam, że ob. Kaczyński w swojej mowie płynnej jest wrogo ustosunkowany do Polski Ludowej i do Bratniego Kraju ZSRR. Proszę słuchać jego wymowy płynnej przez Radio Polskie, zawsze coś wyśmieje, ostatni raz dnia 27 kwietnia 1982 r. wyśmiał Związek Radziecki, że był w Moskwie na balecie i widział, jak ludzie radzieccy są źle ubrani – po co to nam potrzeba do wysłuchiwania przez radio. My ludzie pracy nie chcemy słuchać wrogich słów propagandy przeciw PL i ZSRR i innych wrogich podpuszczeń przeciw krajom socjalistycznym.

29 kwietnia 1982, anonim

***

Popieram i akceptuję telewizyjny program Studia 2 na temat porno, ale proponuję, żeby był w szerszym zakresie tzn. bez pruderii aktów kobiecych i miłosnych, z równoczesną tematyką wychowawczą obu partnerów do siebie. Po prostu zespół dyskusyjny prowadzący spotkanie winien więcej uwagi poświęcić kulturze ciała, higienie zbliżenia oraz jakie czynniki psychologiczne oddziaływują na nasz organizm w czasie aktu, a nie wyłącznie dyskutować nad kodeksem prawa, co nam wolno.

My wszyscy jesteśmy w grze miłosnej bardzo ubodzy pod względem wychowawczym i etycznym w stosunku do partnerki. Byłem z żoną moją na jednym filmie pt. *Czułe miejsca* i zafascynował nas pokazany jeden akt miłosny, który był dla nas nowością. Jednocześnie podzielam całkowicie zdanie pani seksuolog na temat udziału dzieci w porno. Dzieci te rzeczy nie oglądają. Mam jednego syna 10 lat i drugiego 15 i o godz. 22.00 już śpią.

Ponadto jedna prośba do kamerzysty, żeby nie robił uników i niech przetrze obiektyw, bo obraz matowieje.

3 grudnia 1982, Roman D. z Koszalina

***

Jeśli ktoś występuje przed telewizją nie powinien obawiać się ani krytyki, ani pochwały. W danym przypadku to dotyczy XXI Krajowego Festiwalu Polskiej Piosenki „Opole 84". Właściwie to dotyczy tylko jednej piosenkarki, która tak uparcie twierdziła, że *Nie będę Julią* (chodzi o piosenkę zespołu Banda i Wanda – przyp. M.R.). Nie wiadomo tylko, kto ją o to prosił? Poniekąd jest wiadome, że ta Włoszka była młoda i śliczna i nie potrzebowała ani żadnej autoreklamy, ani starogreckiej „tuniki", ani też afrykańskiej fryzury.

W związku z powyższym mam prośbę, naturalnie o ile można, proszę skrócić o 2/5 piosenkę *Nie będę Julią* – ta piosenka ze względu na swą monotonię niewiele różni się od kumkania żaby, natomiast o tyle samo wydłużyć piosenkę „Gang Marcela". Jak dotąd jest to najpiękniejszy utwór.

1 lipca 1984, Zbigniew K. z Rzeszowa

Krótki komentarz:

Trzeba uczciwie powiedzieć, że telewizja epoki gierkowskiej, dowodzona przez Macieja Szczepańskiego, zbliżyła się znacznie pod względem jakości do standardów zachodnich. W latach siedemdziesiątych na szeroką skalę zaczęto emitować amerykańskie filmy. Również wówczas wyprodukowano „kultowe" polskie seriale: *Janosik*, *Polskie drogi*, *Daleko od szosy* czy *Czterdziestolatek*, które biły rekordy oglądalności. Niewątpliwym osiągnięciem był Teatr Telewizji, Kabaret Olgi Lipińskiej oraz znakomity program „Studio 2" nadawany w wolne soboty od 1974 roku – M.R.

Z prośbą o interwencję
(imiona i nazwiska zostały zmienione)

Sklep w naszej wsi w chleb zaopatrują co drugi dzień a kiełbasę też często przywożą po dwa albo trzy kg i to po prostu nie do jedzenia. Nie ma żadnych przypraw. Parę dni temu byłem w Mielcu i kupiłem 20 dkg kiełbasy to ją wyrzuciłem, bo nie można było zjeść. Napoje chłodzące raz w tygodniu przywożą w sobotę – piwo i oranżadę. Wczoraj przywieźli 200 szt. piwa i 100 szt. oranżady. Jest około 100 numerów, to piwa się dostało po jednej butelce, a oranżady zabrakło.

1972, Zbigniew N.

***

Droga Falo, Zwracam się z prośbą do Ciebie, może Ty mi pomożesz. W dniu 29 XI 1975 padła mi w nocy świnia, która wcale nie chorowała, gdy rano poszedłem zanosić jej żarcie, leżała zdechła. Zawiozłem ją do lecznicy w Kadzidle, ważyła 176 kg. PZU w Ostrołęce wypłacił mi odszkodowanie w sumie 1747 zł. Świnia była kontraktowana. Dlaczego jestem tak pokrzywdzony, gdyż lekarza nie mogłem wezwać, bo padła w nocy. Jestem małorolnym rolnikiem, mam 6-cioro dzieci, troje w szkole podstawowej, a troje w średniej się uczą, jest mi bardzo ciężko. Dlatego zwracam się z prośbą do Ciebie Falo, o poinformowanie mnie, czy mogę się starać o dopłatę i gdzie. Proszę mi odpisać listownie.

12 grudnia 1975, Zdzisław Z.

***

Mieszkam na wsi i w nowym domu wybudowałam sobie łazienkę. Cóż jednak z tego, skoro od miesięcy poszukuję wanny, w której mieściłby się dorosły człowiek. Ponieważ w okolicznych sklepach są tylko wanny krótkie, napisałam do Fabryki Naczyń Emaliowanych w Myszkowie z prośbą o umożliwienie mi nabycia poszukiwanego sprzętu. Fabryka, nie powiem, znalazła się, odpisała na list, ale cóż z tego, skoro właśnie z tej korespondencji dowiedziałam się, że produkuje tylko wanny o długości 80 cm.

Janina W., 1975

***

Znakomity sposób nabijania klienta w butelkę wynaleźli producenci z Zakładu Konfekcji Lekkiej w Lipcach. Otóż wypuścili oni na rynek ściereczki, które niczemu nie służą, bo służyć w żadnej mierze nie mogą. Wprawdzie na metce przyszytej do każdej z nich napisano „ściereczka do kurzu", ale nie nadają się one do wycierania zakurzonych mebli czy innych sprzętów, bo, choć napisano, że są z bawełny, wykonano je ze sztywnej tkaniny, z jakiej szyje się letnie płaszcze-prochowce... Inne przypominają kolanówkę używaną przez krawców. (...) Jedyne, co można nimi robić, to wzniecać kurz i przeganiać go z miejsca na miejsce, co jednak pożytku żadnego nie daje. (...)

1978

***

„Przyjaciółka": Otrzymujemy mnóstwo listów od słuchaczek, narzekających, że od dłuższego czasu przemysł i handel zupełnie nie dostrzegają potrzeby istnienia obuwia na płaskim obcasie. Nie ma zupełnie w sprzedaży butów tzw. bezślizgowych, co w naszym klimacie jest również istotną sprawą. Polki mają grubsze łydki niż kobiety w innych krajach, toteż ślepe naśladowanie mody prowadzi do tego, że setki pań chodzi cały dzień w za ciasnych długich butach. Czy łydki mamy dopasować do butów?

1977

***

Kupiłam chłodziarkę wyprodukowaną przez Zakłady Metalowe „Polar" we Wrocławiu. Chłodziarkę zgłosiłam już dwa razy do wymiany w Zakładach Metalowych we Wrocławiu – bez skutku. W okresie od kwietnia 1973 r. zgłaszałam ją dwanaście razy do naprawy. Dziesięć razy zabierano ją do „Argedu", a cztery razy wymieniano agregat. Chłodziarka w tej chwili znów nie mrozi, naprawy nie dają żadnego skutku. „Eldom" tłumaczy, że nie mogą wymienić lodówki, jeżeli mają agregaty. Proszę Was, pomóżcie rozwiązać tę sprawę, bo mam już dość chodzenia do „Eldomu" i słuchania tłumaczeń, że wymiana należy do producenta. Przecież kupiłam lodówkę w uspołecznionym sklepie.

Joanna K.

***

Miejskie Przedsiębiorstwo Robót Budowlanych we Włocławku remontowało dom, w którym od lat mieszka 72-letnia pani Stanisława K. Prace ciągnęły się długo, Czytelniczka narażona była na niewygody. Myślała jednak, że remont polepszy jej warunki mieszkaniowe. Tak stałoby się zapewne, gdyby nie owe fatalne drzwi. Posłuchajmy, co na ten temat pisze Czytelniczka: „W listopadzie zmieniono stare drzwi w mojej kuchni. Wstawiono nowe, które zamiast na lewą – otwierają się na prawą stronę, a klamka i zamek nie działają. Chcąc wyjść z mieszkania, muszę prosić sąsiadów, aby otworzyli drzwi od strony korytarza. Nie wychodzę nawet do sklepu, bo przecież nie zostawię otwartego mieszkania. Przecierpiałam tak całą zimę, teraz jest już ciepło i nie mogę bez przerwy siedzieć w mieszkaniu. Czuję się jak ptak uwięziony w klatce. Czekam na Twoją pomoc «Przyjaciółko». Nieprawdopodobna wydała nam się ta sprawa, wiemy bowiem, że każdy remont jest komisyjnie odbierany. Czyżby do mieszkania naszej Czytelniczki komisja nie mogła się dostać? (...) i pomyśleć, że MPRB nie wiedziało, iż drzwi służą do zamykania pomieszczeń!!!

1974

***

Kupiłam makaron. Włożyłam do garnka. Po paru chwilach przekonałam się, że pływa w nim szara, posklejana masa, nie nadająca się do niczego. Jak reklamować taki towar? Ze źle zrobionym butem czy sweterkiem można iść do sklepu i zażądać wymiany. A co zrobić z kaszą, w której pływają śmieci, z zanieczyszczonym cukrem, z galaretką, która się nie ścina, koncentratem pomidorowym, który ani zapachem, ani smakiem nie przypomina pomidorów?

Sylwia G.

***

W czwartek przed Wielkanocą kupiłam w sklepie w Płońsku masło śmietankowe z najświeższej dostawy do sklepu. Po rozpakowaniu okazało się nie do jedzenia, zjełczałe i gorzkie, z czarnymi plamami na powierzchni. (...) Zamiast na wielkanocnym stole wylądowało na śmietniku. 13 kwietnia, znowu w Płońsku, masło było tylko w trzech sklepach, tylko dietetyczne z datą produkcji sprzed dwóch tygodni. Następnego dnia w SAM-ie w Warszawie – ma-

W 1979 roku w związku z obchodami 35-lecia Polski Ludowej wydano propagandowy album pod tytułem *Wspólnota myśli i celów*. Książka, firmowana przez Front Jedności Narodu, miała w zamierzeniu ilustrować „osiągnięcia" PRL-u. W tej wiekopomnej publikacji warto zwrócić szczególną uwagę na komentarze, umieszczane pod ilustracjami, które są niemal wzorcowym przykładem propagandy sukcesu dekady Edwarda Gierka. Oto garść cytatów:

fot. A. Karczewski

Urodzili się i wychowali w Polsce Ludowej. Są nie tylko przyszłością Ojczyzny. Już dzisiaj współuczestniczą w wielkim dziele budowy rozwiniętego społeczeństwa socjalistycznego.

fot. J. Makarewicz

Ludowe Wojsko Polskie chroni socjalistyczne zdobycze narodu

fot. I. Sobieszczuk

Braterstwo broni i serc

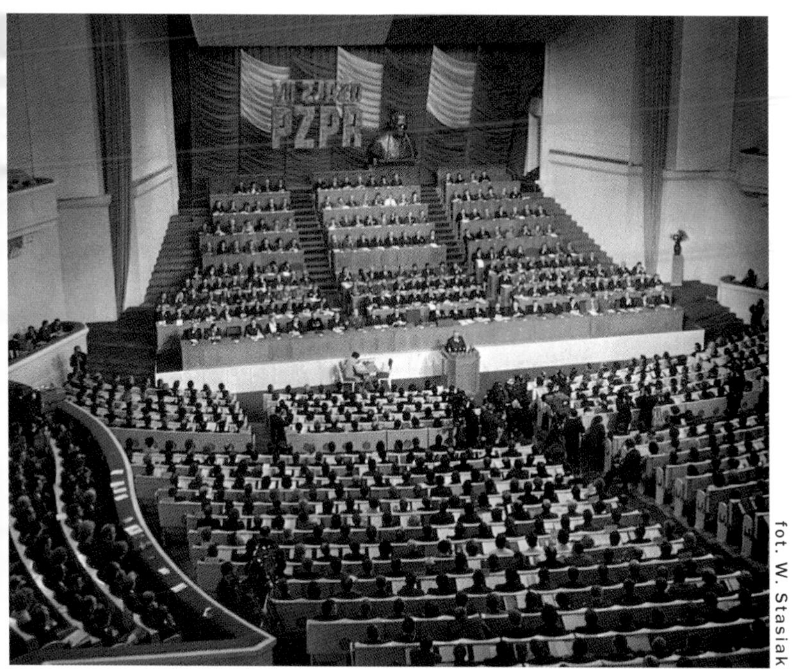

fot. W. Stasiak

Sala Kongresowa w Warszawie. Obraduje VII Zjazd PZPR – najwyższe partyjne forum, wytyczające cele społeczno-gospodarczego rozwoju kraju

fot. H. Gugda

fot. J. Makarewicz

Bezpośrednia rozmowa z ludźmi to podstawowa cecha stylu działania kierownictwa PZPR

fot. L. Łożyński

Edward Gierek podczas spotkania z załogą Huty „Warszawa"

fot. A. Hawałej

Niewiele narodów na świecie ma tak wielkie jak my prawo powiedzieć NIE wobec groźby wojny.

fot. M. Kłoś

fot. J. Morek

Łączy nas nierozerwalna przyjaźń, sojusz i wszechstronna współpraca z ZSRR, naszym wypróbowanym i niezawodnym przyjacielem. Na zdjęciu: wizyta w Polsce sekretarza generalnego KC Komunistycznej Partii Związku Radzieckiego, Leonida Breżniewa

fot. J. Morek

Przyjacielska serdeczność i braterska współpraca – oto treść naszych związków z Czechosłowacką Republiką Socjalistyczną. Na zdjęciu: sekretarz generalny Komunistycznej Partii Czechosłowacji Gustaw Husak w Polsce .

fot. T. Koszyński

Czyn społeczny zrodziła piękna praktyka socjalistycznego społeczeństwa. To po prostu nasza praca dla siebie, zmaterializowana w piękniejszych osiedlach, lepszych drogach, placach zabaw, parkach, ośrodkach wypoczynkowych

Tradycyjny coroczny dzień czynu partyjnego gromadzi przy pracach społecznych we wsiach i miastach miliony Polaków – członków PZPR, ZSL, SD i bezpartyjnych

fot. S. Jakubowski

Droga wiejska służy wszystkim...

fot. A. Radziszewski

Masowy udział żołnierzy w czynie partyjnym. W warszawskiej dzielnicy Ochota pracowali słuchacze Wojskowej Akademii Politycznej

fot. L. Święcki

Szybkie wkraczanie motoryzacji w codzienne życie Polaków jest miarą postępu w zaspokajaniu materialnych potrzeb. Na zdjęciu: linia montażowa „Poloneza”

Ubieramy się ładnie, gustownie, elegancko. Na zdjęciu: nakładanie wzorów na tkaniny w Zakładach Jedwabiu Naturalnego „Milanówek"

fot. J.Gill

Zdobywanie nowych umiejętności staje się niezbędne w prowadzeniu gospodarstwa domowego. Do niesienia pomocy w tej ważnej dziedzinie życia codziennego powołane są koła gospodyń wiejskich

fot. R. Okoński

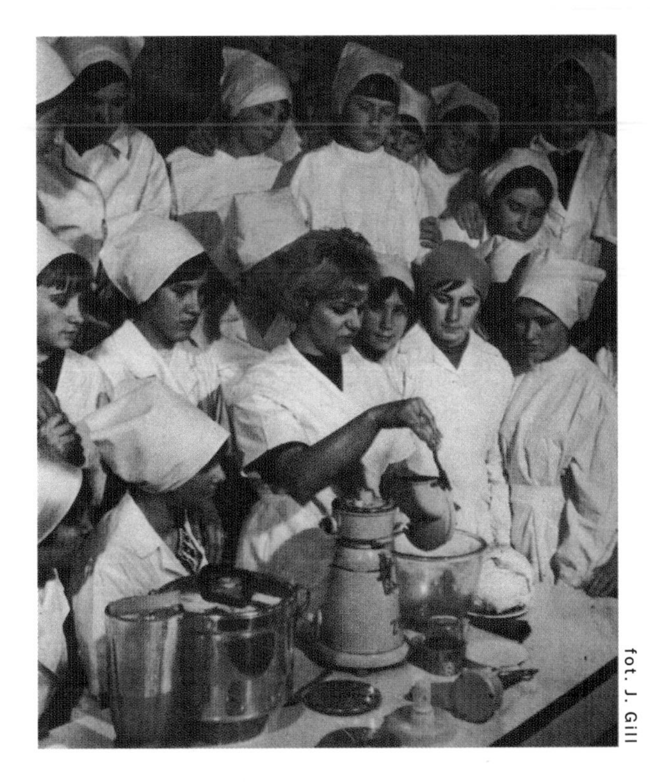

fot. J. Gill

Zgłębianiu tajników sztuki kulinarnej, szycia, dziewiarstwa służą kursy organizowane przez Ligę Kobiet oraz Koła Gospodyń Wiejskich

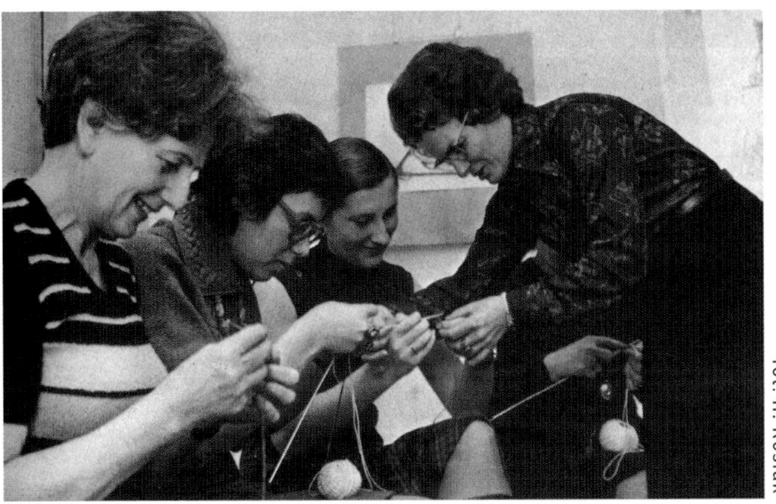

fot. H. Rosiak

fot. J. Morek

W trosce o najwyższą jakość mleka

fot. J. Morek

Przed wyjazdem w pole...

fot. A. Radziszewski

...i na niedzielną przejażdżkę

fot. J. Tymiński

Gminne placówki kultury wywierają znaczny wpływ na kształtowanie oblicza kulturalnego wsi

Choć handel i gastronomia na wsi wciąż jeszcze pozostawiają wiele do życzenia, to jednak coraz częściej pojawiają się funkcjonalne i estetycznie urządzone placówki

sło eksportowe delikatesowe, paczkowane w srebrną folię z datą 10 stycznia, a więc sprzed trzech miesięcy (...). Narzekania na masło są powszechne. Zapomnieliśmy już prawie, jak powinno smakować takie prawdziwe masło, świeże i pachnące. Jedna moja znajoma przypomniała sobie, że świeże masło jadła... w ubiegłym roku w Giżycku.

Krystyna S.

***

Minęło już wprawdzie lato i jesień, ale wytłumacz, „Przyjaciółko", ludziom z miasta, żeby w ciągu tego okresu nie najeżdżali rodzin i znajomych na wsi. Robią to bez skrupułów, zjeżdżają całymi rodzinami bez uprzedzenia, bez liczenia się z czymkolwiek. Robią miny lordów wyrządzających łaskę swoim pobytem. Wytłumacz im, „Przyjaciółko", że naszym zakładem pracy jest nasz dom, nasze obejście, nasze pole. Przez nasz dom przewinęło się latem około 40 osób, nie licząc dzieci, które rodzice zostawili u nas po swoim urlopie do końca wakacji. Nie mogłem patrzeć spokojnie, jak żona od 5 rano w niedziele skubie kury i kaczki i gniecie makaron dla około 20 osób na niedzielny obiad. (...) Wytłumacz im, żeby przyjeżdżali na wyraźne zaproszenie, żeby nie stawiali nas wobec faktu dokonanego; dzisiaj list: „Przywożę do was dzieci, bardzo chcą u was być, całuję", jutro – najazd.

Krzysztof z kieleckiego, 1977

***

Jesteśmy na kempingu. Wyrzuciliśmy już drugą puszkę konserw, bo wydała nam się podejrzana. Wszystko dlatego, że mieszkańcy sąsiedniego namiotu wciąż opowiadają o zatruciach jadem kiełbasianym. Czy to prawda, że znajduje się on nie tylko w wędlinach, ale także w konserwach i to nawet warzywnych? Jakie są objawy zatrucia? Napiszcie!

Barbara i Jurek, 1974

***

Modnie można się uczesać dopiero od niedawna, i to w kilku zaledwie większych i lepiej wyposażonych zakładach fryzjerskich. Na przykład w Łodzi, przy głównej ulicy Piotrkowskiej, jest wiele salonów fryzjerskich, ale tylko w jednym czy dwóch można uczesać się przy pomocy szczotki i suszarki. Jeszcze bardziej zdziwiła mnie podobna sytuacja w Poznaniu – mieście, które jest bądź co bądź siedzibą zrzeszenia czuwającego nad postępem techniki fryzjerskiej, a więc „Polfryzu". (...) Musiałam nachodzić się po śródmieściu Poznania, by w końcu zostać przyjętą do uczesania „na szczotkę". Dla osób mniej zorientowanych warto dodać, że podstawowym elementem (poza dobrym strzyżeniem) jest właśnie wyposażenie zakładu w odpowiednie suszarki i nieodzowne do tego uczesania okrągłe szczotki.

1977

***

Chciałam podzielić się swoimi wrażeniami z pobytu w willi „Bursztynek" w Jastrzębiej Górze. Miałam wraz z mężem przydzielone w ww. budynku wczasy w okresie od 17 do 30 czerwca 1978 r. Pełna odpłatność wynosiła 2679 zł od osoby. Po przybyciu na miejsce zamiast pokoju w willi otrzymaliśmy lokum w garażu, przedzielone płytą pilśniową na dwie części, czyli na dwie rodziny. W przydzielonej nam części nie było światła dziennego, zamiast podłogi – cement. Wyposażenie stanowiły dwa żelazne łóżka i stolik – ale nie było już miejsca, by przy nim usiąść. Poza tym przez szerokie szpary wrót hulał zimny wiatr, że nie sposób było się zagrzać nawet pod kołdrą. Pomieszczenie to nie nadawało się do zamieszkania, toteż po pierwszej dobie kategorycznie zażądałam wymiany na inne. Po ostrej wymianie zdań z właścicielką domu oraz kierownikiem ośrodka otrzymałam inne pomieszczenie, dotychczas nie zamieszkane z powodu nieprzeciętnej wilgoci (obok ubikacji), nie mówię już o paskudnych zapachach. Jego wyposażenie – poniżej krytyki. Nie było też mowy o wypożyczeniu koca, leżaka czy żelazka do prasowania. Kierowniczka wczasów, zmieniwszy nam lokum, wyjechała z ośrodka i nie wróciła do końca turnusu.

Całą naszą grupą zarządzał pracownik kulturalno-oświatowy. Zorganizował on wycieczkę z Jastarni do Gdyni i zebrał od wszystkich pieniądze. Ku naszemu zdziwieniu tylko w jedną stronę jechaliśmy wodolotem, a w drugą statkiem. Razem z inną wczasowiczką wybrałam się jako „delegacja" z prośbą o zwrot różnicy ceny biletów. Obywatel ten oświadczył, że nie będzie się przed nami rozliczał oraz zażądał, abyśmy natychmiast się od niego wyniosły. Groził, że po naszym odjeździe doniesie o naszym zachowaniu do zakładu pracy (WSS „Społem" Olesno), który nam te wczasy przydzielił. Poza ww. wycieczką nie zorganizowano nam przez dwa tygodnie żadnej rozrywki, nie było też ani wieczorku zapoznawczego ani pożegnalnego. Przez całe dwa tygodnie wszystkie napoje: herbata, kawa zbożowa i kompot, podawane były bez cukru. W 14 dni po powrocie z wczasów wezwano mnie do kadr WSS „Społem" Olesno, tj. zakładu pracy mego męża, celem wyjaśnienia mego, rzekomo awanturniczego zachowania się na wczasach. Chcę dodać, że organizatorem pobytu był PTTK w Lublińcu.

nazwisko i adres znane redakcji, 1978

***

Jedzenie w ośrodku wczasowym budownictwa w Mielnie to były po prostu żarty z wczasowiczów. Na całe 14 dni dano nam 1/4 pomidora. Kompoty to woda lekko pocukrzona. Brak jakichkolwiek deserów. Przepraszam – raz był kawałek ciasta drożdżowego. Czasem brakowało nawet kawy i chleba. Posiłki były niesmaczne i źle przygotowane, masła podawano mniej niż w recepturze. Naczynia były wyszczerbione i brudne!

J.D z Wrocławia, 1975

***

Hotel nazywał się „Relax", a ja byłem spragniony właśnie relaksu. Gdy się już zdrzemnąłem, coś ugryzło mnie w rękę. A potem w inne miejsca. Odsłoniłem kołdrę. Zawirowały czarne ruszające się punkciki. Przetarłem oczy, spojrzałem, a tu po prostu pluskwy i karaluchy. Paradowały sobie po mnie bezkarnie, jak gdyby nigdy nic. Czuły się pewnie, widać było, że są stałymi bywalcami hotelu i dobrze się tu bawią. Nie zmrużyłem oka do rana. A gdy oddając klucze, wygarnąłem wszystko, co o tym myślę, młoda panienka z recepcji powiedziała z uśmiechem: „Wiemy, że w hotelu «Relax» są robaczki. Ale są i w sąsiedniej restauracji «Nowoczesna» i nikt nie robi z tego tragedii". Skoro są robaczki także w restauracji – pomyślałem – wyjadę z Mławy na czczo.

Ryszard Chojnacki, 1979

***

U mnie wyglądało to tak: około godziny 17 gasło światło. Mniejsze dziecko ryczało ze strachu przed ciemnością, starsze darło się, że nie może odrobić lekcji, mąż wrzeszczał na wszystkich, a ja siedziałam w samym środku ciemnego piekła. Najpierw poszły wszystkie ogarki, jakie każdy ma w domu na wypadek awarii korków. Potem spaliliśmy świece ozdobne, które wprawdzie kosztują ze sto razy drożej od zwykłych, ale światła dają o wiele mniej. Wiadomo – są one nie do świecenia, lecz do nastroju. Nastrój tośmy w domu mieli... Codziennie z biciem serca próbowaliśmy wywróżyć na podstawie komunikatów Państwowej Dyspozycji Mocy – zgaśnie, nie zgaśnie. Reguły nie było żadnej – czasem nas nie wyłączali nawet przy dziewiętnastym stopniu zasilania, a czasem trafiało nas już przy czternastym. Jednocześnie nie ustawaliśmy w poszukiwaniach. Pewnego razu mąż przyniósł pęczek świec stołowych, wyjaśniając, że pewna panienka nad nim się zlitowała i sprzedała spod lady. (...) Oboje w dalszym ciągu poszukiwaliśmy świec po całym kraju, wykorzystując w tym celu wyjazdy służbowe. Nie było w Zakopanem, w Siedlcach, Zambrowie, w Poznańskiem i Szczecińskiem. Zanim komunikaty o dziesiątym stopniu zasilania zastąpiły mroczne czasy „dziewiętnastki", weszliśmy w posiadanie sporej butelki nafty i dwu lamp naftowych, nabytych za niezłe pieniądze na pchlim targu. A świec nadal nie ma. Najpierw czekaliśmy, kiedy miną Zaduszki i lampki nagrobkowe ustąpią miejsca zwykłym świecom stołowym. Później przeczytałam, że surowiec mamy taki, jaki nadaje się tylko na znicze nagrobkowe, a na świece to już nie. Potem minęły Zaduszki i znicze też zginęły.

Helena Nowicka, 1980

***

Mieszkam na kolonii Osiedle Dąbrowskiego w Warszawie, naprzeciw szpitala przy ul. Komarowa. Podobnie jak inni lokatorzy, dotkliwie odczuwam brak jakiegokolwiek szaletu w pobliżu. W niedzielę, gdy mnóstwo osób odwiedza chorych w szpitalu, bardzo często ktoś do mnie dzwoni z prośbą o udostępnienie ubikacji w moim mieszkaniu. Albo zamieniają w szalety piwniczne korytarze i klatki schodowe naszych bloków, przez co smród jest nie do wytrzymania. Prosimy więc redakcję o interwencję w Miejskim Przedsiębiorstwie Oczyszczania.

***

We wrześniu wpisałem do książki zażaleń na dworcu autobusowym w Szczecinku skargę, że dyżurująca w toalecie dworcowej kobieta pobrała ode mnie 1 zł za skorzystanie z pisuaru. Zaznaczam, że w szalecie z trzech pisuarów dwa były potłuczone, przykryte gazetą, dookoła było brudno i mokro. Pierwszy raz się spotkałem z pobieraniem opłaty za skorzystanie z pisuaru.

Mieczysław K., 1977

***

W naszym ośrodku zdrowia, czekając na wizytę u lekarza, nawet zimą musimy biegać z małymi dziećmi za budynek, gdyż toalety stoją zamknięte na cztery spusty. Zepsute czy też personel ośrodka w ten oryginalny sposób utrzymuje je w nienagannej czystości?

Matki z woj. pilskiego

***

Powszechnie wiadomo, że obecnie modne są ubrania lamowane skórą oraz skórzane łatki na spodniach. Nie wszyscy jednak domyślają się, jaki to ma związek z siedzeniami w autobusach. Otóż na trasie Suwałki – Warszawa kilkakrotnie widziałam wycięte z siedzeń kawałki skaju. Przerażenie ogarnia na widok miejsc świecących gąbką i sprężynami.

Czytelniczka z Augustowa

Na odcinku walki z alkoholizmem
(imiona i nazwiska zostały zmienione)

Chcieliśmy przedstawić Wam pewną sprawę, którą uważamy za bardzo ważną: mianowicie chodzi tu o picie wódki w zakładzie pracy i wyprawianie imienin w godzinach pracy. Stało się już tradycją, że każdy pracownik obowiązkowo wyprawia imieniny w zakładzie i to w czasie godzin pracy i to do tego stopnia się towarzystwo upija, że aż trudno później ustać na własnych nogach, trzymając się maszyny, a zaczyna się to w ten sposób, że każdy z pracowników musi dać ustaloną kwotę, za co z kolei kupuje się danemu solenizantowi jakiś tam prezent. A ten chcąc się zrewanżować za otrzymany podarunek stawia: kawę, ciasteczka, no i wódkę, no i cała biesiada już rozpoczęta. Wszystko to dzieje się w zakładzie i w czasie godzin pracy. Zakładem tym, o którym mowa, jest Przetwórnia Mięsna w Szczakowej przy ul. Koszarowej, należąca do WSS Katowice oddział Jaworzno. Jeżeli nie ma imieninowej biesiady to robi się zwykłą „ściepę" w czasie pracy i wysyła się kogoś do sklepu albo też konwojenci dostarczą popularną „czystą" i nie ma takiego dnia, aby nie pito tu wódki, zarówno kobiety jak i mężczyźni, zwykli robotnicy, brygadziści i całe kierownictwo włącznie. Bywa i tak, że już niektórzy pracownicy przychodzą do pracy z dużym już opóźnieniem i w stanie nietrzeźwym, na to kierownictwo nie zwraca uwagi i nie stosuje żadnych sankcji, ponieważ sami bardzo chętnie biorą udział w takich pijackich libacjach. Pracownik, który odmawia udziału składek, nie ma szans pozostania w tymże zakładzie, jest nie cenionym przez przełożonych, czego powodem było przeniesionych kilku pracowników do innej branży, np. piekarnie, rozlewnie. Nic też dziwnego, że wyroby z tejże przetwórni są złej jakości, powodem tego jest brak podstawowej dyscypliny i dobrej organizacji pracy. Chociaż jest tu osoba, która ma czuwać nad jakością produkcji – pani inżynier, która naszym zdaniem nie wywiązuje się z nałożonego jej zadania i bardzo często opuszcza zakład, aby załatwić na mieście osobiste sprawy, takie jak np. zakupy, układanie fryzury i wiele innych, wszystko to Pani inż. załatwia w godz. służbowych.

Jeżeli chodzi o Panią inż. to jest osobą bardzo niedostosowaną, do tego stopnia, że nie można z nią porozmawiać, ani o coś zapytać, bo zaraz wykazuje swoją nerwowość, lecz inaczej ustosunkowana jest do osób chętnie zaglądających do kieliszka, bo i ona sama chętnie wypije kolejkę.

Wspomnąć należy fakt, że jak jeden z nowych pracowników w trzecim dniu swej pracy przyszedł pijany do pracy, a inni zwrócili uwagę, że jest zbyt dużo zalany, to Pani inż. powiedziała, że to jest jej pracownik i nikt do niego nie może mieć żadnych zastrzeżeń gdyż ona jest od tego. W tejże chwili trwa akcja zbiórki na imieniny dwóch brygadzistów: Sylwestra i Eugeniusza, całą tą akcją kierują starsze już doświadczone pracownice. Jako dowód naszej prawdy zapraszamy Was do złożenia wizyty w dniu 30-go XII br. około godz. 10.00. Proponujemy, aby wszystkich majstrów, brygadzistów, kierowników, magazynierów włącznie z Panią inż. poddać kontroli trzeźwości. Poza pijaństwem jest jeszcze wiele innych spraw, między innymi choćby sama kultura pracy, o czym nikt tu nigdy nie słyszy, natomiast brygadziści stosują własną kulturę pracy i tu przytaczamy pewien fakt brygadzisty Sylfka, gdy się uczennice zwróciły do niego o drążki do wieszania kiełbas, to im powiedział, że jak nie mają na czym wieszać to niech mu wieszają na h..., tak samo odpowiada jeżeli któraś z pracownic o coś pyta, a h... z tobą, czy z Wami, tak odnosi się Brygadzista Sylwek do swoich pracownic.

Bardzo wiele można powiedzieć o czystości odzieży pracowników, która jest tak brudna, że nie można odróżnić, czy to pracownicy przetwórni, czy też jacyś kominiarze. Następną sprawą jest brak zakazu palenia papierosów na hali produkcyjnej, a skutki często są takie, że niedopałki papierosów często można znaleźć w wyrobach, co jest sprzeczne z higieną produkcji.

Jeszcze raz prosimy o przybycie i pozytywne rozpatrzenie tej sprawy.

Adresów swoich nie podajemy, aby uniknąć sankcji ze strony zakładu i jego przełożonych.

Natomiast po ujawnieniu całej tej afery pijackiej możemy się ujawnić, ale tylko dla Was.

9 stycznia 1976, anonim

***

We krwi każdego zdrowego człowieka zawsze znajduje się niewielka (0,02 promila) potrzebna organizmowi ilość alkoholu. Oczywiście dawka ta jest tak mała, że nie wykryje się jej przy pomocy popularnych probierzy trzeźwości. Zostaje ona spalona (głównie w wątrobie), w pełni zaspokajając potrzeby energetyczne ludzkiego organizmu. Każda dodatkowa dawka alkoholu narusza natomiast równowagę w naszym organizmie, wbrew znanemu porzekadłu: „Cukier krzepi, wódka lepiej".

I.K., 1979

***

Pracuję w sklepie monopolowym i wiem, ile pieniędzy idzie na alkohol (...) Bywało w naszym mieście nawet i tak, że sklepy z mlekiem były w wolną sobotę czynne do godziny 10 czy 11, a sklep z wódką był otwarty do 16. Matki chodziły, płakały, a jednocześnie klęły na sklep z wódką. Teraz w wolną sobotę „główny monopol" jest nieczynny, sprzedaż prowadzą sklepy ogólnospożywcze. Sama widziałam, że nawet nietrzeźwy otrzyma wódkę w takim sklepie. Żebyś wiedziała „Przyjaciółko", co się dzieje w dni wypłat. Prawie już „na czterech łapach", ale się pchają, żeby jeszcze dostać trunek. Jeśli jest daleko, to biorą taxi i jadą, byle tylko dostać tę „połówkę". Bardzo chcielibyśmy, aby produkowano alkohol w małych butelkach o zawartości 1/2 litra i żeby w dni wypłat nie sprzedawano alkoholu, a nawet i w dzień czy dwa po wypłacie. Mężowie wracaliby wtedy z pensjami do domów, żony by się nie denerwowały. Utrudniajmy im ten łatwy dostęp do wódki, a nie ułatwiajmy. Wódka jest dla ludzi, ale ludzi mądrych. Mimo podwyżki cen wódka „idzie jak woda", ograniczmy więc jej sprzedaż! Naprawdę, z tego, co obserwuję, ludzie piją najwięcej w godzinach pracy. Dlaczego? Czy nie ma komu przeprowadzić kontroli w zakładach pracy? Niech sklepy z wódką będą otwarte po południu, a w innych sklepach niech sprzedają wódkę dopiero po godzinie 14.

Stała Czytelniczka, 1978

***

Jestem żoną malarza pokojowego. U nas tak się utarło, że skoro malarz przychodzi do pracy, to trzeba przede wszystkim postawić wódkę. Ludzie uważają, że lepiej będą mieć wymalowane mieszkanie, jak się zakropi wódką. Doszło do tego, że mąż wraca z pracy pijany, a co dalej – to nie muszę mówić. Mąż jest dobrym fachowcem i byłabym z niego zadowolona, gdyby nie wódka. Ludzie nie chcą zrozumieć, że krzywdzą rodzinę malarza; dla nich ważne jest, żeby mieszkanie było „oblane". Przecież za usługę płaci się pieniędzmi – poczęstunek jest niepotrzebny. Próbowałam rozmawiać, aby nie częstowali męża wódką, ale nie odniosło to żadnego skutku. Jestem pewna, że wiele żon malarzy przeżywa to samo, co ja.

Czytelniczka z radomskiego, 1972

***

Jestem już stara i pamiętam carskie czasy: były sklepy monopolowe i sprzedawano wódkę w restauracjach, ale żeby tak na każdym kroku w najmniejszym i największym sklepie spożywczym – to tego nie było. Dzisiaj robotnicy odchodzą od pracy i piją wódkę (...). Pięć lat mieszkam u dzieci i chodzę do sklepu MHD nr 55 przy ul. Dekabrystów. Nigdy tu nie brakuje ani wódki, ani robotników z budowy. Przy ul. Nałkowskiej i al. Zawadzkiego buduje się już drugi rok blok o 10 kondygnacjach. Sklep ma więc zapewnioną klientelę wódczaną i jeszcze do tego wódkę sprzedaje się poza kolejką. (...) Potem słyszymy tyle o wypadkach, wprowadzamy się do nowych domów z usterkami nie do usunięcia. Czy można dobrze i bezpiecznie pracować po pijanemu?

Emerytka, 1971

***

„Pan S. przyszedł do pracy podpity. Koleżanka A. zwróciła mu uwagę, żeby poszedł do domu, bo okropnie wygląda. Wówczas posypały się wyzwiska. Ubliżał nam, pluł, biegał jak szalony. A przecież u nas jest zakład produkcyjny, są maszyny, łatwo o wypadek. Poszłam do wartownika, mogłam też iść do kierownika zakładu, ale wiedziałam, że to nic nie pomoże, gdyż pan S. już kilkakrotnie był karany naganami, ale z pracy go nie usuwają".

„Jeden z pracowników umysłowych przyszedł do zakładu w stanie nietrzeźwym, okropnie wszystkim naubliżał. Zgłosiłam niezwłocznie naszemu brygadziście, potem sprawa doszła do dyrektora i POP, bo jest on członkiem partii. Co z tego, kiedy za parę tygodni dali mu premię. Jesteśmy wszyscy oburzeni".

„Lekarz zakładowy przyszedł do pracy w stanie tak nietrzeźwym, że ledwo na oczy patrzył. Koleżanka była chora na grypę, miała 38,9 st. gorączki, ale on ją wysłał do domu bez zwolnienia, powiedział, że go to nie obchodzi i użył wulgarnych wyrażeń".

1972

***

Od dwóch lat bimber pędzi cała rodzina męża. Kompanami do picia są: teściowa, teść i ich córka. Kiedyś pijana siostra męża dawała „winko" swoim 4- i 6-letnim dzieciom (!). Mąż jest kierowcą. Jak wypije, nie idzie po prostu do pracy. Za „poczęstunek" dla pana kierownika nieobecność zostaje zawsze usprawiedliwiona. O piciu męża zawiadomiłam jego zakład pracy, ale skarga moja pozostała bez skutku. O bimbrowni meldowałam w Komendzie Milicji Obywatelskiej. W Wydziale Zdrowia Rady Narodowej prosiłam o skierowanie męża na leczenie. Mąż otrzymał karę – 6 miesięcy w zawieszeniu. Na leczenie przymusowe nie został skierowany (a dobrowolnie leczyć się nie chce). Upił się znowu już na następny dzień. Teściowie, którzy pędzą bimber, też uniknęli kary. A ja? Byłam nadal ofiarą; bita i maltretowana przez męża, w nocy uciekałam z dziećmi do komórki ze strachu przed pijanym mężem.

Nazwisko znane redakcji, 1972

***

Byłem dziś po zakupy w miejscowym sklepie spożywczym GS. Ledwie się dopchałem do lady wąziutkim tunelem utworzonym między stojącymi na prawo i lewo, aż do sufitu, skrzynkami pełnymi wódek. Do tego dochodzą półki i regały, w większości zastawione także wódką i winem. Szacując na oko – pozostały towar w sklepie stanowił może jedną czwartą wartości zgromadzonego tu alkoholu, a może nawet mniej. I tu dochodzimy do sedna sprawy: z jednej strony wiele mówi się o walce z alkoholizmem, z drugiej zaś zapycha się sklepy, hurtownie, a nawet kioski olbrzymią ilością najrozmaitszych napojów alkoholowych. Co z tego, że podrożały wódki i wina? Pijacy dalej piją, tylko ich rodziny i dzieci zamiast chleba z masłem jedzą chleb suchy. Czas najwyższy przygotować jakiś program do walki z tą plagą społeczną, jaką stał się u nas alkoholizm, i ostro karać kierowników sklepów, którzy, jak w opisanym przeze mnie przypadku, dbają tylko o zaopatrzenie swojej placówki w alkohol.

Stały Czytelnik, 1976

***

Czy to prawda, że są alkohole, które pije się z wielkim umiarem, tylko jeden kieliszek?

Franciszek, 1975

Odpowiedź redakcji „Przyjaciółki": Kulturalny człowiek wszystkie alkohole pije z wielkim umiarem.

***

Czy to prawda, że u gościnnych gospodarzy butelki schodzą ze stołu puste? Zrobiono mi wymówkę, gdy sprzątnęłam wódkę, ale goście mieli już doprawdy „w czubie" i nie chciałam ryzykować.

Bożena

***

Bardzo lubię likiery. Czy to rzeczywiście – jak twierdzą moje koleżanki – dowód złego gustu?

Janina

***

Napisały do naszej redakcji członkinie Koła Gospodyń Wiejskich z Głojsców (...), że w ich wsi szerzy się pijaństwo. „Zawdzięczać" to należy dwóm sklepom spożywczym, które sprzedają alkohol, a w szczególności wino z konsumpcją na miejscu. (Taka praktyka jest niedozwolona). Kobiety z KGW domagały się likwidacji sprzedaży napojów alkoholowych, gdyż pijacy zakłócają spokój we wsi. List o podobnej treści wpłynął do naszej redakcji również z kolonii Prawiedniki, gmina Głusk, woj. lubelskie. I tutaj – pisały kobiety – pijaństwo szerzy się wśród dorosłych i młodzieży z powodu nieograniczonej sprzedaży wina w miejscowym sklepie spożywczym. Sprzedawczyni nastawiła się prawie wyłącznie na obsługiwanie pijaków. Otwiera sklep i sprzedaje alkohol po godzinach pracy, również w nocy, a także w niedziele i święta. Mieszkańcy starali się od dawna o wycofanie wina ze sprzedaży, ale im się to nie udało, mimo że jedno z pism podpisało 110 osób. W obu przypadkach podjęliśmy interwencje. W ich wyniku w obydwu miejscowościach wycofano wino ze sprzedaży. Naczelnik Miasta i Gminy Dulki wprowadził w sklepach w Głojscach zakaz sprzedaży napojów alkoholowych z wyjątkiem jasnego piwa. Naczelnik Gminy Głusk cofnął zezwolenie na sprzedaż wina w sklepie w Prawiednikach. Z aprobatą przyjęliśmy te słuszne decyzje miejscowych władz.

E.D., 1978

***

Nie wolno pić w zakładzie ani przychodzić do pracy w stanie nietrzeźwym, ale wolno każdemu przynieść kwiatek dla Ewy czy na imieniny kolegi. A każdy kwiatek i każde imieniny podlewane są alkoholem. Pije się tak, aby nikt z kierownictwa nie zauważył, a jeśli już ktoś zobaczy – to i tak kontrolujący wypije kieliszek, i na pozór jest wszystko w porządku. Wszystkie wydarzenia oblewamy wódką: awans – wódka, premia – wódka, nawet dzień nieobecności w pracy można załatwić za wódkę. Zdarzają się z tej przyczyny wypadki przy pracy i chociaż wszyscy o tym wiedzą, to się to ukrywa, by za bezwypadkowość dostać pieniądze i... przepić je.

Zenon K., Nowa Huta, 1978

***

My, mieszkańcy Rybnika ul. Chwałowickiej, mamy jeden podręczny sklep, w którym powinny być wszystkie artykuły spożywcze i chemiczne, ponieważ jest to dość duży sklep. Natomiast w sklepie tym nie brak tylko wina patykiem pisanego i piwa. Nie ma jarzyn ani ziemniaków, brak konserw a nawet jajek, nie mówiąc już o wędlinach.

Jadwiga B.

Krótki komentarz:

Alkoholizm był jednym z głównych problemów społecznych czasów PRL-u. Częste spożywanie alkoholu w dużych ilościach stanowiło *antidotum* na otaczającą szarzyznę i częstokroć jedyną formę spędzania wolnego czasu. Wódka miała charakter prawdziwe „bezklasowy", dlatego że trunkiem tym raczyli się przedstawiciele wszystkich bodaj zawodów: od pisarzy i uczonych, po milicjantów i robotników. Pito w pracy i po pracy, na imieninach, podczas świąt, a izby wytrzeźwień przeżywały prawdziwe oblężenie. Milionowego klienta przyjęto już w roku 1958...

Państwo próbowało w najróżniejszy sposób walczyć z plagą pijaństwa, niemniej efekty były żałosne, a niekiedy wręcz groteskowe. Do działań tych należał między innymi wymóg podawania w lokalach gastronomicznych wódki z obowiązkową zakąską (50 gramów = jedna zakąska). Tyle że owa „zagrycha" miała nierzadko charakter przechodni i krążyła wśród klientów jako towar „wielokrotnego użytku". Wraz ze stanem wojennym wprowadzono zakaz sprzedaży alkoholu przed godziną 13, co w znaczący sposób nie wpłynęło na spadek jego spożycia, biorąc pod uwagę rozkwit domowego bimbrownictwa, spowodowanego reglamentacją wódki. Pod koniec PRL-u wprowadzono również zakaz picia w urzędach przed godziną 13. Niemniej i ten przepis można było obejść, wykorzystując pewien wyjątek: „obecność cudzoziemca". Justyna Błażejowska i Paweł Wieczorkiewicz przytaczają następującą anegdotę: „Na Uniwersytecie Warszawskim, gdy w gronie służbowym chciano sobie łyknąć, trwały poszukiwania choćby studenta: biednego Murzyna doprowadzano wtedy przed surowe oblicze dziekana czy dyrektora instytutu, wręczano kielicha i nakazywano pić..." (cyt. za *PRL Świadkowie*, zeszyt historyczny nr 14, dodatek do „Newsweeka" 2007, nr 4).

Wnioski, zaświadczenia, pisma urzędowe

Zaświadczenie wydane przez Zarząd Miejski w Wieruszowie 26 listopada 1945 r. zezwalające na przewóz świni do Wrocławia (zachowano oryginalną pisownię – M.R.):

Zarząd Miejski w WIERUSZOWIE
Nr. III.21/45Wieruszów, dnia 26. XI. 1945 rok

Zaświadczenie

Zarzad Miejski zaświadcza, że ob.(...), wyprowadzajac sie do Wroclawia w dniu 22.9.1945 roku nie zabral ze soba świni, wyhodowana przez siebie w wlasnym gospodarstwie domowym, a która to świni zabiera z soba obecnie do Wrocławia i uprasza sie odpowiednie Wladze o nieczynienie przeszkód w przewozie tej świni. –

Burmistrz

***

Sławno, dn. 27 XI 1946 r.

Powiatowa Komisja Rozdziału Inwentarza przy Pow. Biurze Rolnym w Sławnie.

Do Ob. Mieczysława (...) zam. w Sinczycy, gmina (nieczytelne)

Na posiedzeniu Powiatowej Komisji Rozdziału Inwentarza w dniu 26 listopada br. przydzielono Ob. konia z dostaw UNRRA.

W zwiazku z powyzsym zglosi sie Ob. natychmiast do Zwiazku Samopomocy Chłopskiej w Slawnie, gdzie nalezy zalatwic formalności zwiazane z otrzymaniem konia i wplacic 3.500 zl.

Konie nadejda w najblizszych dniach. (pis. oryg. – M.R.)

***

Gliwice, dnia 2.06. 1951 r.

Zaświadczenie

Rada Zakładowa Huty 1-go Maja zaświadcza, że ob. Marian (...) urodzony (...) 1914 r. zamieszkały w Gliwicach jest przodownikiem pracy w naszym zakładzie pracy. Niniejsze zaświadczenie wydaje się celem zakupu radio-odbiornika.

***

Zaświadczenie o zgłoszeniu roweru do rejestracji Nr 39 Ob (...) zamieszkały w (...) zgłosił w dniu 6 lutego 1950 r. do rejestracji rower – wózek poruszany siłą nóg – rower z silnikiem pomocniczym o pojemności skokowej do 100 cm^3 – motocykl z silnikiem o pojemności skokowej do 100 cm^3 (właściwe podkreślić).

Zaświadczenie niniejsze upoważnia posiadacza do użytkowania wymienionego pojazdu na drogach publicznych.

***

Pszczyna, dnia 19.09. 1983.

W odpowiedzi na złożoną skargę dotyczącą nie odbierania (pis. oryg. – M.R.) butelek w sklepie nr 83 informujemy, że sklep ten między innymi został wytypowany do prowadzenia skupu butelek, jednak zdarzają się przypadki, że sklep ten nie posiada pustych opakowań, których dostawy odbywają się wymiennie (tzn. ile sklep posiada pustych transporterów, tyle otrzymuje pełnych).

Dostawy pustych opakowań do sklepów nie są tak częste, a klienci dokonując zakupu, dokonują go w większości przypadków za wymianę butelki, co powinno mieć miejsce każdorazowo, ponieważ sklepy nie mają obowiązku ani możliwości składowania luzem pustych butelek w nieograniczonych ilościach.

Wszystkie Spółdzielnie w całym kraju borykają się z problemem zaopatrzenia placówek w puste transportery i ich zbytem z butelkami.

Informujemy, że nasza Spółdzielnia posiada przy ul. Piastowskiej w Pszczynie Punkt Skupu Opakowań Szklanych, w którym na bieżąco są skupowane butelki, na które posiadamy transporterki ochronne.

Niżej aż trzy podpisy, między innymi Prezesa Spółdzielni oraz Kierownika Działu Zaopatrzenia i Administracji – przyp. M.R.

***

Suwałki, dnia 20.06.78

Świdroń Antoni syn Zdzisława
Areszt śledczy (nr kodu, miasto, sygnatura akt)
Do (nazwa instytucji)

Prośba o łaskę

(pisownia została zachowana, dane personalne zmieniono)

Uprzejmie zwracam się z prośbą o ułaskawienie i zawieszenie mi reszty kary, którą otrzymałem w wymiarze 4 lat pozbawienia wolności. Oto zajście za które zostałem tak ukarany. W dniu 25.01.1978 miałem wezwanie na Komisję W.K.U. w celu przeniesienia do rezerwy. W autobusie, którym jechałem spotkałem jadącego na tę komisję kolegę: Kazimierza Bąka i Zenona Grzelaka. Do Suwałk przyjechałem na godz. 10.00 i mając trochę wolnego czasu, więc postanowiliśmy przejść na ulicę Kościuszki do sklepu gdzie to zakupiliśmy 2 butelki wina i w bramie przy tej ulicy wypiliśmy. Po spożyciu tych win mając jeszcze czas poszliśmy do gospody „Pod Kłosem" gdzie wypiliśmy po 2 butelki piwa i po czym udaliśmy się w kierunku W.K.U. ul. 22 Lipca. Idąc tą ulicą weszliśmy do pawilonu handlowego gdzie ja chciałem obejrzeć garnitury czy są możliwe w moim guście. Po obejrzeniu nie zauważyłem nic szczególnego więc wyszliśmy udając się do W.K.U. Długo nie czekaliśmy na załatwienie, bo po upływie 20 minut byliśmy już załatwieni, zostaliśmy przeniesieni do rezerwy. Wyszliśmy z W.K.U. i postanowiliśmy coś wypić, w tym celu udaliśmy się do baru „Stefano" gdzie spożyliśmy po 1-szej butelce piwa.

Po spożyciu tego piwa wyszliśmy na ulicę i spotkaliśmy się z moim znajomym z Grodni i z nim to umówiliśmy się wypić po piwie (w piwoszu) w tym celu udaliśmy się do tej pijalni piwa, a znajomy wszedł do sklepu wymienić koszulę, bo kupiła mu żona, a była zmarła. Na przeciwko piwosza jest sklep ubraniowy więc postanowiłem wejść najpierw obejrzeć i tam te garnitury, weszliśmy w trójkę t.z. ja Antoni Świdroń, Kazimierz Bąk i Zenon Grzelak. Ja obszedłem dwie strony i tu nic szczególnego nie zauważyłem i gdy zbliżaliśmy się do końcowych wieszaków zatrzymał się w pewnym momencie Zenon Grzelak przy jednym z garniturów. Zatrzymaliśmy się i zaczął go oglądać przy czym podeszła do nas sklepowa, Kąkolewska Zofia i pozwoliła mu go przymierzyć. Założył spodnie na siebie i ja stwierdziłem, że są za krótkie, zdjął więc te spodnie i zanieśliśmy ich spowrotem na miejsce. Obok tego wisiał i drugi podobny i sklepowa Kąkolewska zaproponowała Grzelakowi ten następny z tym nie odchodziliśmy do mierzalni wziął z wieszakiem drugi garnitur i marynarkę zaczął wkładać na siebie a spodnie z wieszakiem trzymałem ja t.z. Antoni Świdroń mając ręce założone do tyłu. Grzelak zakładał marynarkę na swoją marynarkę i widząc to sklepowa Kąkolewska podeszła do nas, zwróciła Grzelakowi uwagę, że w ten sposób to napewno nie dobierze sobie dobrze garnituru na to Grzelak zaczął głupio szyderczo śmiać się z tych słów wypowiedzianych przez sklepową Kąkolewską Zofię, która jak zauważyłem była bardzo tym podniecona i zdenerwowana, stanęła obok mnie. W pewnym momencie ta sklepowa Kąkolewska schyliła się szarpiąc mi te spodnie, które z łatwością mi wyrwała, ponieważ mocno ich nie trzymałem, po wyszarpnięciu mi tych spodni uderzyła mnie sklepowa Kąkolewska w twarz po czym usłyszałem z ust Kąkolewskiej takie słowa: „To wy tak chcecie kupić wy chcecie ukraść a nie kupić" po czym uderzyła mnie ponownie w twarz i zaczęła coś mówić czego już nie słyszałem, ponieważ zbaraniałem z tego zaskoczenia nie trwało pół minuty zostałem uderzony raz jeszcze, po czym usłyszałem krzyk sklepowej Kąkolewskiej (złodzieje) a słysząc to jeszcze bardziej starałem się zachować spokój, ale zostałem otumaniony, zbity z tropu itp. zacząłem opuszczać ten sklep udając się do wyjścia. Przy drzwiach spotkałem jej męża, Eustachego Kąkolewskiego, który najprawdopodobniej zamykał drzwi wejściowe więc w trakcie tego szoku nie byłem w stanie opanować się więc schwyciłem Kąkolewskiego z tyłu w pasie po czym szarpnąłem do siebie i w ten sposób upadliśmy razem na podłogę w ten sposób, że Kąkolewski leżał na mnie z tego wyrwałem się dostając jeszcze większej paniki. Wybiegłem na zewnątrz udając się w kierunku parku Konopnickiej i wtedy zobaczyłem jak Grzelak przede mną był już w parku więc podbiegłem do niego i razem poszliśmy na stację PKS nie rozmawiając nic do siebie. Zatrzymaliśmy się na rogu ulicy Kościuszki a 22 Lipca gdzie około 5 minut przybył do nas Kazimierz Bąk po czym udaliśmy się w kier. PKS, ale że było jeszcze za wcześnie na autobus więc udaliśmy się na ul. Gałaja gdzie zaszliśmy do Baru na piwo, wypiliśmy po jednym piwie, a ja wypiłem małe piwo i udaliśmy się do autobusu na godz. 13.00, który był już podstawiony na stanowisku. Więc ja i Zenon Grzelak wsiedliśmy, a Kazimierz Bąk powiedział, że ma coś załatwić jeszcze w Suwałkach i pozostał. Do Grodni przyjechaliśmy przed godz. 14.00 i zaszliśmy do gospody „Pod Jarzębinką" na piwo, gdzie zostaliśmy wezwani przez funkcjonariusza MO w Grodni na posterunek i zostaliśmy zamknięci w areszcie. Około godz. 15.20 przyjechali funkcjonariusze MO z Suwałk, którzy mieli nas przewieźć do Suwałk. Otworzono moją celę i wszedł nie znany mi funkcjonariusz MO. Zostaliśmy odwiezieni do Suwałk gdzie na drugi dzień zostaliśmy dowiezieni na rozpoznanie przez tą sklepową Kąkolewską. Gdy weszła Kąkolewska powiedziała w ten sposób (no trudno) i wskazała mnie i Grzelaka, ja nie myślałem wypierać się, że byłem w sklepie ale jest pewna sprawa przeprowadzając to rozpoznanie śledczy, który to miał naszą sprawę Stanisław Bartczak ustawiał nas tak jak on chciał a gdy ustawił wyszedł z pokoju po tę sklepową i po pewnej chwili weszli razem z Kąkolewską przy tym ustawieniu był obecny inny funkcjonariusz MO, który zwrócił swemu koledze uwagę żeby nas nie ustawiał a my mamy ustawiać się jak sami chcemy, na co Bartczak głosem podniesionym odparł do niego (nie wtrącaj się ja prowadzę sprawę nie ty) i na tym zakończyło się. Zostaliśmy rozpoznani po czym zaczęto nas przesłuchiwać. Pierwszy był

Zenon Grzelak, a po nim wezwano mnie, ja poprosiłem o kartkę papieru na której opisałem jak to było co zaczął czytać Bartczak funkcjonariusz MO czytając to uśmiechał się z cicha i po przeczytaniu tych zeznań powiedział do mnie te słowa (ładną bajeczkę ułożyłeś wcale tak nie było i gadaj tak jak było) po czym zaczął opowiadać jak zeznała też sklepowa, po czym usłyszałem z tyłu głos funkcjonariusza, który powiedział, rozbieraj się do połowy, to uczyniłem zaznaczam iż mam tatuarze i mam wykłuty na ramieniu stopień pułkownika i inne których teraz bardzo się wstydzę a mnie tak rozebranego oprowadzono po pokojach naśmiewając się ze mnie, że mają zaszczyt zamknąć pułkownika po prostu zastosowano wobec mnie wyczuwając mój wstyd wymuszenie abym zeznawał tak jak zeznawała sklepowa. Weszliśmy do pokoju gdzie nie było nikogo więc ja zacząłem prosić tego kaprala Bartczaka żeby nie robił ze mnie pośmiewiska co mnie ośmieszało do tego stopnia, że wolałbym zrobić wszystko żeby nie oprowadzał mnie dalej po czym wróciliśmy do tego pokoju gdzie było przesłuchanie i zaczął pisać co opowiadała im i jak zeznawała sklepowa Kąkolewska i to co mówił to i pisał po napisaniu dał mi przeczytać i kazał podpisać, nie czytając tego podpisałem aby dał mi spokój i zaznaczyłem w prekóraturze rejonowej, że te zeznania na komędzie były wymuszone. W prokuraturze zeznałem tak jak właściwie było tz. tak jak tu piszę lecz też było nie tak jak powinno przejść spokojnie, a mianowicie byliśmy przesłuchiwani przez dwóch prokuratorów ja u innego, a Zenon Grzelak u drugiego. Złożyłem zeznanie gdy w pewnym momencie wszedł do pokoju prokurator, który przesłuchiwał Zenona Grzelaka i zaczął czytać moje zeznanie gdy w pewnym momęcie głosem podniesionym nerwowym powiedział do mnie, że to nie tak było jak tu zeznaję na co nic nie odezwałem się tylko spuściłem głowę milcząc, tak siedziałem, coś między sobą porozmawiali po czym dano mi podpisać, co i uczyniłem. Wyszłem na korytarz gdzie czekali na mnie funkcjonariusze MO wraz z Zenonem Grzelakiem, który to powiedział mnie, że pan prokurator obiecał dla niego wyjście na wolność jeżeli powie prawdę to tak jak zeznała sklepowa, i żeby powiedział, że ja wybiłem szybę w drzwiach, i tak uczynił tylko o tej szybie nic nie wspomniał. Jak mi wiadomo to za taką cenę to i ja mógłbym mówić co by tylko chciano.

Ja t.z. Świdroń Antoni byłem już karany kilka razy t.z. w roku 1966 zostałem zamknięty w zakładzie poprawczym w Bydgoszczy a miałem wtedy 13 lat byłem niepoprawny i przebywałem do lat 17 t.z. do 1971 r. do kwietnia, wyszedłem na własną prośbę. Byłem na wolności do sierpnia 1971 r. kiedy to w lipcu tegoż roku dokonałem kradzieży motocykla marki WSK, którą pojechałem na zabawę i później odprowadziłem spowrotem na miejsce skąd wziąłem za to dostałem 1 rok p.w. w zawieszeniu, nie upłynęło dwa tygodnie ukradłem radio tranzystorowe wartości 800 zł co też za godz. zwróciłem za to dostałem rok pozbawienia wolności. Odbywając tę karę dopuściłem się kradzieży na OZ-cie w Malewkach St. Ukradłem skrzyneczkę z kompletem palników na sumę 1500 zł co też zwróciłem i za co też dostałem 1 rok i 6 miesięcy p.w. Ogółem zebrało mi się 4 lata poz. wol. Tę karę odbyłem do roku 1974 a na amnestię wyszedłem mając w zawieszeniu 11 miesięcy. Po wyjściu na wolność postanowiłem skończyć z przestępczością, będąc na wolności byłem wzywany kilka razy na posterunek MO za jakieś włamania kradzieże itp. aż w maju 1975 r. jeden z funkcjonariuszy sierż. Jerzy Burak wyjaśnił mi, że i tak na te najlepsze dni mnie zamkną. Minęło parę dni bo w czerwcu 75 r. został upozorowany napad na 3 funkcjonariuszy MO w Grodni t.z. Jerzy Burak, Roman Dąbrowski, Grzegorz Nowicki zrobili mi sprawę, że na nich napadłem i pobiłem, a w zasadzie traktowano mnie jak bydlę, za co dostałem 1 rok i 4 miesięcy i 2 miesiące dostałem warunkowego lecz w grudniu tego roku 1976 zostało odwieszone mnie 11 miesięcy z tej amnestii z czego otrzymałem 5 miesięcy warunkowego i wyszedłem 1977 w czerwcu i byłem zdecydowany na normalne życie jak należy do października 1977 r. pracowałem prywatnie na budowach po czym w październiku poszedłem do pracy na kamieniarza w Suwałkach gdzie pracowałem do 4 listopada. 4 listopada zwolniłem się ze względu nadmiernego używania alkoholu, bo co dzień trzeba było wypić i z tego powodu się zwolniłem. Dnia 22 listopada pojechałem ze swoją narzeczoną do kopalni w Sosnowcu, tam spotkały mnie bardzo ciężkie warunki ponieważ nie było gdzie mieszkać i do dnia 2 grudnia przebywaliśmy w hotelu robotniczym już dłużej nie mogłem narzeczonej trzymać w hotelu więc namówiłem ją do tego żeby pojechała do domu a ja postaram się o mieszkanie to wtedy po nią przyjadę tak więc stało się i pojechała. Przed świętami Bożego Narodzenia spotkałem się z jednym mężczyzną, z którym rozmawiałem o tym mieszkaniu. Zapewnił mi, że ma swoją willę i mogę w każdej chwili znaleźć u niego mieszkanie na tym zakończyłem i postanowiłem pojechać do domu po narzeczoną, z którą w tym roku miałem wziąść ślub. Jak ją wysłałem do domu wydałem na jej podróż resztę pieniędzy i pozostałem bez grosza, było mi bardzo ciężko, bo nie miałem co jeść a załatwiając pracę nie miałem świadectwa pracy z kamieniarstwa i bez tego nie mogłem być przyjęty musiałem więc pojechać do Ełku po te świadectwo nie mając na bilet zdecydowałem się pojechać na gapę i to uczyniłem, przed Ełkiem zatrzymał mnie konduktor, któremu opowiedziałem swoją sytuację, po czym konduktor powiedział, żebym jechał dalej i niech mi się dobrze powodzi. Dojechałem dobrze i szczęśliwie poszedłem do biura wybrałem świadectwo i wracałem z powrotem jadąc do Warszawy jechałem w Warsie byłem okropnie głodny i zmęczony więc postanowiłem sprzedać zegarek za który otrzymałem 200 zł, za co kupiłem coś do zjedzenia i papierosy z tego też dałem konduktorowi 80 zł i pozostało mi parę groszy, dojechałem do Sosnowca i na drugi dzień zaczęłem załatwiać pracę w kopalni „Sosnowiec" i po 2 dniach załatwiłem. Te parę groszy skończyło się i znów głodowałem przez parę dni aż wreszcie sprzedałem za 100 zł swój aparat fotograficzny ale co to jest 100 zł na długo nie było i znów głód. Chodziłem do pracy głodny bez kanapki jadłem tylko tyle co od czasu do czasu 0,5 litra zupy regeneracyjnej na cały dzień, na tym jedzeniu pracowałem na dole. Dokuczał mi głód tak, że kurtkę skurzaną swoją, która kosztowała 3500 zł sprzedałem za 400 zł za co pojechałem do domu po swoją narzeczoną. Przed samymi świętami przyjechaliśmy do Sosnowca i przez parę dni byliśmy w hotelu a po świętach bo w święta też pracowałem żeby było więcej do wypłaty poszedłem do tego co mi zapewnił te mieszkanie, po odnalezieniu go był w pracy w kotłowni wieczorem udaliśmy się do jego domu gdzie spotkało mnie duże rozczarowanie ponieważ jak okazało się to on nie żył w zgodzie ze swoją żoną i wynikła z tego duża awantura lecz on przedstawił nas jako kuzynów na czym zakończyło się to, wprowadził nas do pokoju. Widząc co jest na rano wyszedłem z narzeczoną z domu. Byłem bardzo zdenerwowany wsiedliśmy do tramwaju gdzie spotkałem się ze swoim kolegą z pracy i jemu to opowiedziałem, więc on zaproponował mi, żebym na parę dni zamieszkał z nim bo on mieszka na kwaterze prywatnej i ma jedno wolne łóżko na co zgodziłem się. Po południu poszedłem do pracy, a przed południem pobrałem 500 zł chwilówki ale jadąc dałem narzeczonej na życie do 1 stycznia do zaliczki. Przebyłem tam przez 3 dni i w tym czasie poznałem jednego męszczyznę, który mi zgodził się dać swoje mieszkanie bo on ma mieszkanie swoje a on pojedzie do matki, zgodziłem się chętnie na to i spytałem ile mam mu płacić nic nie odpowiedział to mnie zaskoczyło i spytałem dlaczego nie? To mi wyjaśnił że ma mieszkanie które wkrótce obejrzałem. Było to mieszkanie przeznaczone do rozbiórki a on mieszkanie kał na poddaszu i nie było za dobrze bo było bardzo zimno, ale spytałem dlaczego darmo mi odstępuje więc wyjaśnił, że on niedawno wyszedł z więzienia, że te mieszkanie to było jak spelina i że w nim zbiera się kurwa i złodziej wyjaśniając, że on nie chce mieć z tym nic wspólnego, a ty na to nie pozwolisz jak będziesz mieszkał ze swoją żoną. Tak się stało, dostałem od niego klucz do mieszkania i poszliśmy do baru gdzie postawiłem jemu 0,5 litra wódki a sam pojechałem na kwaterę po swoją narzeczoną opowiedziałem jej to wszystko i zakazałem jej aby w czasie mojej nieobecności nie otwierała nikomu drzwi, nie długo bo tego wieczoru ktoś zapukał, otworzyłem i zobaczyłem dwuch pijanych mężczyzn i pijaną kobietę spytałem o co chodzi? Gdzie Władek, już tu nie mieszka. Po tem zamknąłem drzwi, za jakąś godz. ponownie ktoś zapukał do drzwi otworzyłem i zobaczyłem trzech pijanych mężczyzn dopominających się o Władka t.j. właściciela na co odpowiedziałem, że już tu nie mieszka. Tak minęło do dnia 31 grudnia 1977 roku zaprosiłem do siebie kolegę z hotelu ja i moja narzeczona we trójkę spędzić Sylwestra, w czasie gdy pojechałem z narzeczoną po kolegę do hotelu odesłałem z powrotem narzeczoną do domu a ja sam pojechałem po tego kolegę. Wróciliśmy z kolegą do domu tu zastałem wyłamany zamek a w mieszkaniu siedział właściciel z pijaną dziewczyną, która była w stanie okropnym. Gdy zobaczył mnie właściciel zaczął przepraszać za ten wyczyn na co ja powiedziałem właściwie to jest twoje mieszkanie i robisz jak u siebie i na tym skończyłem rozmowę miał na stole but. wina czym nas poczęstował a ja naprawiłem zamek w drzwiach. Zaczęliśmy pić i gdzieś około godz. 23 przyszedł właściciela brat z kolegą więc wpuściłem. Wypiliśmy sporo alkoholu ale w spokoju i na rano już w nowy rok powiedziałem że nie piję, więc właściciel poprosił mnie aby pożyczyć 120 zł na pół litra wódki co uczyniłem i za jakąś godz. przyszedł ponownie pożyczyć 100 zł co też uczyniłem i obiecał oddać na drugi dzień. Ja poszedłem do pracy i tak się skończyło.

Minęło parę dni zabrakło mi pieniędzy na życie więc wspomniałem o te pieniądze pożyczone dostałem ale wymówienie z mieszkania bo powiedział że matka jego nie chce go trzymać w domu u siebie a te pieniądze policzył jako za światło na drugi dzień opuściłem mieszkanie i zrezygnowałem z pobytu w Sosnowcu, postanowiłem pobrać wypłatę i wracać do domu co też uczyniłem. 14 stycznia pobrałem wypłatę i pojechaliśmy do domu. W domu z narzeczoną podjęliśmy się gospodarzyć na moich rodziców gospodarstwie o pow. 8.61 ha. Tak więc moje przeklęte życie urywa się przez kobietę której coś przewidziało się albo po złości, że kolega z niej śmiał się to tak posądziła. Czy taki człowiek jak ja jest tak groźny przestępca, że jestem niebezpieczny dla społeczeństwa jak to zostało uzasadnione w Postanowieniu (Tymczasowego aresztu) czy takiego człowieka co kiedyś błądził to trzeba zniszczyć do końca, zrujnować, żeby nigdy nie mógł przebywać w otoczeniu społeczeństwa na tej tak cennej wolności. Jak mogłem kraść garnitur nie wiedząc rozmiaru, a nawet dlaczego mógłbym go kraść, jeżeli stać mnie było garnitur kupić, w domu mi nie brakuje ubrania, dosyć mam tych kreminałów i sądów. W domu pozostawiłem Ojca chorowitego, matkę chorą i Babcię w wieku około 80 lat a rodzice są po 50-tce. Przyżekam iż chcę prowadzić życie uczciwe nie mam zamiaru nadal tułać się po kreminałach. Proszę o przychylne rozpatrzenie mojej prośby za co serdecznie dziękuję.

Świdroń Antoni

Krótki komentarz:

Gwoli uczciwości należy nadmienić, że powyższą historię po raz pierwszy zamieścił Edward Redliński w znakomitych *Nikoformach* (1982). Mimo iż momentami może się ona wydawać zabawna (głównie ze względu na nieporadność językową autora „prośby o łaskę"), to koniec końców ma wymiar tragiczny, nawet jeśli założymy, że „narrator" nie jest do końca wiarygodny. Jego historia ilustruje bowiem beznadzieję egzystencji w PRL-u, w którym – na skutek braku życiowych perspektyw – jedyną odskocznię od codziennej szarzyzny stanowił alkohol podrzędnej jakości, spożywany zresztą często byle jak i byle gdzie. (*vide*: podrozdział *Na odcinku walki z alkoholizmem*) – M.R.

***

Zobowiązanie do zwiększenia produkcji w ramach realizowanego 1979 roku „czynu produkcyjnego wsi zielonogórskiej dla uczczenia 35-lecia PRL".

Ja, Kazimierz Wójcik, mieszkaniec wsi Walewice, uroczyście zobowiązuję się dla uczczenia 35-LECIA POLSKI RZECZPOSPOLITEJ LUDOWEJ sprzedać w stosunku do roku 1978 więcej produktów rolnych o 130.000 zł. Zadeklarowaną wartość produkcji towarowej zamierzam osiągnąć poprzez wzrost sprzedaży mleka o 0 l, żywca o 23000 kg, zboża o 0 q, oraz zwiększenie stanu pogłowia bydła o 0 szt., w tym krów o 0 szt., trzody chlewnej o 600 szt., w tym macior o 0 szt., owiec o 0 szt.

Tego typu „zobowiązania" stanowiły odmianę „czynów społecznych", które organizowano już od końca lat czterdziestych. Polegały one na nieodpłatnych pracach fizycznych na rzecz lokalnej społeczności (w szkołach wiejskich przybierały one postać „wykopków", czyli prac przy zbiorach ziemniaków, na które zwożono całe klasy wraz z ciałem pedagogicznym). Apogeum „czynów społecznych" przypadło na lata sześćdziesiąte i siedemdziesiąte, kiedy organizowano je głównie na pokaz i często bez racjonalnego uzasadnienia. W okresie gierkowskim stały się one przede wszystkim swoistymi wiecami poparcia dla partii, a co za tym idzie – ucieleśnieniem marnotrawienia ludzkiego wysiłku i absurdalnej propagandy – M.R.

***

Skarga klienta:

W dniu dzisiejszym chciałem kupić w tutejszym sklepie ½ kg kiełbasy zwyczajnej. Ekspedientka, której nazwiska nie zdołałem ustalić, zapakowała mi 3 (trzy) końce kiełbas z plombami i metkami. (...) Uprzejmie proszę o pouczenie personelu o jego obowiązkach".

***

Inna skarga, tym razem kierownika sklepu, w sprawie dostarczania towaru:

Uprzejmie zawiadamiamy, że w partii towaru objętego zamówieniem stwierdzono braki następujących towarów: gulaszu śląskiego i głowizny z kapustą. (...) Brak dwustu wiader. Doślijcie natychmiast.

Bez komentarza...

Co pisze ulica...

... na transparentach pierwszomajowych

***

Proletariusze wszystkich krajów, łączcie się!

***

Niech żyje 1 Maja – dzień międzynarodowej solidarności ludzi pracy w walce o pokój, demokrację i postęp techniczny!

***

Pozdrawiamy partie komunistyczne i robotnicze całego świata walczące o postęp, pokój i socjalizm!

***

Niech żyje i umacnia się braterska przyjaźń i współpraca narodów Polski i ZSRR!

***

Przyjaźń, sojusz i współpraca z ZSRR – gwarancją bezpieczeństwa i rozwoju Polski!

***

Niech żyje KPZR – partia wielkiego Lenina!

***

Niech żyje ZSRR – niezwyciężona ostoja pokoju i socjalizmu!

***

Niech żyje jedność i współpraca państw socjalistycznych!

***

Pozdrawiamy bratnie narody krajów socjalistycznych!

***

Zacieśniajmy współpracę gospodarczą w ramach RWPG!

***

Zacieśnianie współpracy gospodarczej państw-członków RWPG – w żywotnym interesie Polski!

***

Niech żyje pokój i przyjaźń między narodami!

***

Niech żyje i umacnia się jedność międzynarodowego ruchu komunistycznego!

***

Niech żyje Związek Socjalistycznych Republik Radzieckich – decydująca siła w rozgromieniu niemieckiego faszyzmu, ostoja pokoju w Europie!

***

Pozdrawiamy partie komunistyczne – awangardę mas walczących o lepsze życie, postęp i demokrację, o pokój i socjalizm!

***

Nasz program – budowa socjalizmu dla ludzi i przez ludzi!

***

Realizujemy uniwersalne zasady budownictwa socjalistycznego w polskiej rzeczywistości!

***

Budujemy Polskę silną, rządną, sprawiedliwą!

***

PZPR – ZSL – SD – sojusz, partnerstwo, współpraca!

***

Realizujemy program IX Zjazdu PZPR – linię porozumienia, walki i socjalistycznych reform!

***

Jesteśmy wierni robotniczej tradycji!

***

PZPR – partia klasy robotniczej, przewodnia siła narodu!

***

Partia wśród robotników – robotnicy w partii!

***

Klasa robotnicza główną siłą w socjalistycznym rozwoju Polski!

***

Sojusz robotniczo-chłopski – fundamentem pomyślnego rozwoju socjalistycznej Polski.

***

Związki zawodowe – rzecznikiem interesów ludzi pracy, partnerem administracji państwowej i gospodarczej!

***

Zjednoczony ruch związkowy skutecznym obrońcą interesów ludzi pracy!

***

Naszym celem: pokój i socjalizm!

***

Czterdziestolecie zwycięstwa nad faszyzmem – to 40 lat życia w pokoju!

***

Socjalizm gwarancją siły i pomyślnego rozwoju Ojczyzny!

***

Siła i mądrość partii wynika z jej nierozerwalnej więzi z klasą robotniczą i całym narodem!

***

Dobro człowieka – nadrzędnym celem działania partii!

***

Perspektywiczny program partii – pomostem w XXI wiek!

***

Niech żyje polska klasa robotnicza – przodująca siła narodu!

***

1 Maja dniem radości i dumy ludzi rzetelnej, twórczej pracy!

***

Praworządność i ład społeczny – warunkiem socjalistycznej odnowy!

***

Sejm PRL – władza ludu dla ludu!

***

Umacniajmy nasze socjalistyczne państwo!

***

Wszyscy jesteśmy za Polskę odpowiedzialni!

***

W Polsce prowokacja polityczna nie przejdzie!

***

Socjalistyczne państwo jest silne świadomością swych obywateli!

***

Radni! Wyborcy Wam zaufali. Pamiętajcie o ich postulatach!

***

Rozszerzajmy udział ludzi pracy w rządzeniu krajem!

***

Nie ma demokracji bez świadomej aktywności mas pracujących!

***

PRON – płaszczyzną porozumienia obywateli PRL.

***

Pomyślność Ojczyzny sprawą ambicji i honoru każdego Polaka!

***

Przyszłość naszej Ojczyzny tworzymy dzisiaj!

***

Polska Ludowa naszym największym dobrem! Nie szczędźmy sił dla jej umacniania i jej rozwoju!

***

Polska Ludowa – spadkobierczynią patriotycznych, postępowych i rewolucyjnych tradycji narodu polskiego!

***

Niech umacnia się braterskie współdziałanie Polskiej Zjednoczonej Partii Robotniczej ze Zjednoczonym Stronnictwem Ludowym i Stronnictwem Demokratycznym!

***

Dorobek czterdziestolecia Polski Ludowej – dzieło rąk i umysłów całego narodu!

***

Dobre imię Polski w świecie – sprawą wszystkich Polaków!

***

40 lat PRL – to dwa pokolenia Polaków, żyjących w pokoju!

***

Pozdrawiamy weteranów walki i pracy – budowniczych Polski Ludowej!

***

Jesteśmy wierni ideałom bojowników rewolucji 1905-1907!

***

Dla dobra Ojczyzny łączmy doświadczenie starszych pokoleń z energią i nowatorstwem młodzieży!

***

Dorobek czterdziestolecia PRL powstał z pracowitości i ofiarności ludzi pracy. Szanujmy go i pomnażajmy!

***

Patriotyzm najpierw wyraża się w czynach!

***

Rzetelna praca każdego – warunkiem siły Polski i pomyślności Polaków!

***

Lepsza przyszłość Polski zależy od nas – od pracy na każdym stanowisku!

***

Wyższa jakość naszej pracy będzie gwarancją lepszych warunków życia narodu!

***

Więcej umieć, lepiej pracować – dla socjalistycznej Polski!

***

Reforma gospodarcza – szansą wyjścia z kryzysu. Musimy ją w pełni wykorzystać!

***

Miarą patriotyzmu jest rzetelna praca!

***

Ideowością, wiedzą, działaniem – pomnażamy dorobek socjalistycznej Ojczyzny!

***

Inicjatywy, dyscyplina społeczna – to przesłanki rozwoju kraju!

***

Zaangażowaniem i ofiarnością budujemy lepszą przyszłość Ojczyzny! Bierność i bezwład opóźniają nasz rozwój!

***

Wydajność pracy, gospodarność, oszczędność – to klucz do dobrobytu narodu!

***

Zwiększajmy produkcję rynkową, polepszajmy jakość usług i handlu, lepiej zaspokajajmy rosnące potrzeby społeczne!

***

Oszczędniej gospodarujmy surowcami, materiałami, paliwami i energią!

***

Wzrost wydajności pracy, większa gospodarność i oszczędność – warunkiem poprawy naszej gospodarki!

***

Praca jedynym miernikiem oceny każdego człowieka!

***

Chwała ludziom dobrej roboty!

***

Rozwińmy ruch wynalazczości i racjonalizacji. Skracajmy drogę od pomysłu do produkcji!

***

Rozwój gospodarki żywnościowej sprawą całego narodu!

***

Zielone światło dla ludzi ofiarnych, pracowitych i zdolnych!

***

Jedność praw i obowiązków – to wyznacznik postawy każdego Polaka!

***

Młodzieży! Bądźcie godnymi kontynuatorami dzieła Waszych rodziców!

***

Młodzi Polacy! Wasza wiedza, energia i ambicja cennym skarbem ludowej Ojczyzny!

***

Młodzi! – w waszych sercach i umysłach przyszłość socjalistycznej Polski!

***

Nasze młodzieżowe zawołanie – zrobić więcej niż nakazuje obowiązek!

***

Młodzi Polacy razem z postępową młodzieżą świata aktywnie walczą przeciw imperializmowi i kolonialnemu wyzyskowi!

***

1985 – Międzynarodowy Rok Młodzieży – Uczestnictwo – Rozwój – Pokój!

***

BON TOWAROWY

GL 0752729

UPOWAŻNIA
DO POBRANIA
TOWARÓW
EKSPORTU
WEWNĘTRZNEGO
WARTOŚCI

BON TOWAROWY
MOŻE BYĆ
ZREALIZOWANY
W KAŻDEJ
PLACÓWCE BANKU
POLSKA KASA
OPIEKI S.A.

JEDEN CENT

BANK POLSKA KASA OPIEKI S.A. WARSZAWA, DNIA 1 LIPCA 1969 ROKU

0,05 BON TOWAROWY 0,05

HA 1600573

UPOWAŻNIA DO POBRANIA TOWARÓW
EKSPORTU WEWNĘTRZNEGO WARTOŚCI
$ 0,05 $
BON TOWAROWY MOŻE BYĆ ZREALIZOWANY
W JEDNOSTCE BANKU PKO S.A.
ORAZ W KAŻDEJ PLACÓWCE HANDLOWEJ
UPRAWNIONEJ DO PROWADZENIA SPRZEDAŻY
TOWARÓW EKSPORTU WEWNĘTRZNEGO

0,05 PIĘĆ CENTÓW 0,05

BANK POLSKA KASA OPIEKI S.A. WARSZAWA DNIA 1 PAŹDZIERNIKA 1979 R.

0,02 BON TOWAROWY

HO 3181529

UPOWAŻNIA DO POBRANIA TOWARÓW
EKSPORTU WEWNĘTRZNEGO WARTOŚCI
$ 0,02 $
BON TOWAROWY MOŻE BYĆ ZREALIZOWANY
W JEDNOSTCE BANKU PKO S.A.
ORAZ W KAŻDEJ PLACÓWCE HANDLOWEJ
UPRAWNIONEJ DO PROWADZENIA SPRZEDAŻY
TOWARÓW EKSPORTU WEWNĘTRZNEGO

0,02 DWA CENTY 0,02

BANK POLSKA KASA OPIEKI S.A. WARSZAWA DNIA 1 PAŹDZIERNIKA 1979 R.

KOBIETA i ŻYCIE

Nakład: 612 870 egz.

10 LIPCA 1957 R.

TA WDZIĘCZNA SUKNIA SPACEROWA, TO POLSKI MODEL PRZYGOTOWANY PRZEZ NASZ PRZEMYSŁ SPÓŁDZIELCZY NA VIII MIĘDZYNARODOWY KONGRES MODY W MOSKWIE

Moda na Targach Poznańskich

Na tegorocznych Targach Poznańskich odbyło się również kilka pokazów mody. Modele amerykańskie, holenderskie, z NRF oraz polskie demonstrowały z jednakowym wdziękiem polskie modelki, dobrze nam znane z pokazów Warszawskiego Biura Mody. Zdjęcie 1, 2, 4 i 6 to modele amerykańskie.

Nr 3 — to model holenderski, a dziwna scena uchwycona na zdjęciu nr 5 to moment szybkiego przebierania się modelki w letnią suknię w paski — model NRF.

Zdjęcia J. Szilf.

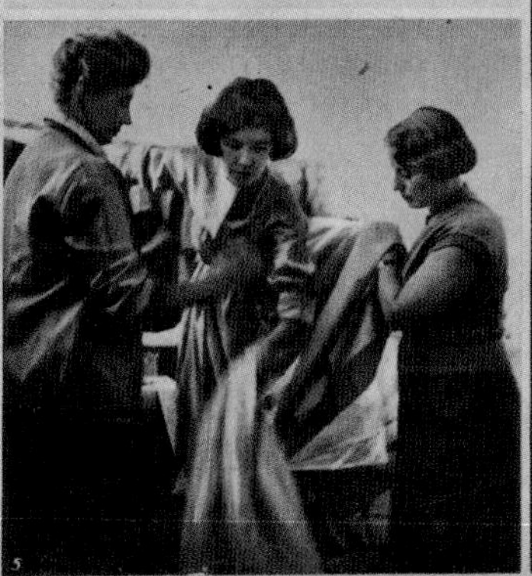

M a t k o!

Najskuteczniejszym lekiem zwalczającym zarobaczenie przewodu pokarmowego TWOJEGO DZIECKA, jest P R E P A R A T w tabletkach

PREPARAT ten znany za granicą od 2 lat pod nazwą ENTHACYL, jest produkowany w kraju i rozprowadzany przez wszystkie apteki. Należy stosować go w wypadku zakażenia przewodu pokarmowego owsikami, glistami, włosogłówką i in. W czasie kuracji, nie jest wskazana żadna specjalna dieta, a przepis stosowania w/w leku załączony jest do preparatu.

Walczymy o antyimperialistyczną solidarność, pokój i przyjaźń młodzieży całego świata!

***

Żołnierz polski współtwórcą i obrońcą Polski socjalistycznej!

***

Służba narodowi chlubną tradycją i współczesną powinnością polskiego żołnierza!

***

Ludowe Wojsko Polskie – niezawodnym ogniwem Układu Warszawskiego!

***

XII Światowy Festiwal Młodzieży i Studentów wyrazem woli walki o pokój przeciwko nuklearnemu zagrożeniu i wyścigowi zbrojeń!

***

Żołnierze ludowego Wojska Polskiego – zawsze wierni narodowi i władzy ludowej!

***

Ludowe Wojsko Polskie – obrońcą pokoju i socjalizmu!

***

Układ Warszawski gwarancją pokojowego rozwoju socjalistycznej Polski!

***

PRL – niezawodnym ogniwem Układu Warszawskiego!

***

Pokój w Europie – to nasze bezpieczne granice!

***

Znamy koszmar wojny – żądamy pokoju!

***

Domagamy się rokowań rozbrojeniowych!

***

Nie ma problemu granic w Europie – jest tylko problem pokoju!

***

Rewizjonistom i odwetowcom w RFN nasze stanowcze nie!

***

Nigdy więcej wojny i faszyzmu!

***

Żądamy pokoju!

***

Popieramy pokojową politykę ZSRR!

***

Popieramy dążenia krajów rozwijających się o sprawiedliwy ład gospodarczy w świecie!

***

Niech się święci 1 Maja!

***

Niech żyje i zwycięża socjalizm!

***

Od socjalistycznej odnowy nie ma odwrotu!

... w podziemiu

(autorzy wierszy nieznani)

Bojkot wyborów w 1984 roku – hasła wyborcze:

Polaku, nie bądź durny,
nie pchaj się do urny!

Tylko umysłowo chory
maszeruje na wybory.

Ten kto wolnej Polski chce,
ten wyborom mówi: nie!

Do wyborów przystąpimy,
gdy Wałęsę wystawimy.

Kto głos odda –
ten się podda.

Chcesz być biedny, goły, bosy,
na PRON stawiaj swoje głosy.

Kto reżim popiera –
ten idzie i wybiera.

Do urny wszyscy wraz –
a potem pałka i gaz.

Jeśli nie chcesz swojej zguby –
to do urny nie idź, luby!

Obywatelu!
Nie wybieraj w tym burdelu!

Chcesz dać dupy komuniście,
głosuj na tych, co na liście.

„Solidarność" nie głosuje
– całą farsę bojkotuje.

Jeżeli nie chcesz wyjść na matoła,
zamiast do urny
idź do kościoła.

Nie chcą się
dogadać z nami –
niech się wybierają sami.

Chcesz mieć rządy
czerwonego –
idź do punktu
wyborczego.

Radzieckie wzory –
pozorne wybory.

Kto się ze
strachu nie trzęsie,
niech odda swój
głos Wałęsie.

Pamiętaj 17-tego,
olewamy czerwonego.

Ten wyborów nie unika,
kto ma duszę
niewolnika.

***

Trzynastego grudnia
roku pamiętnego
WRON napadł na Polskę
z kraju sąsiedniego.

Stanęły fabryki
huty i kopalnie
zamknięto teatry
szkoły i drukarnie.

Walczyli górnicy
walczyli stoczniowcy
krew płynęła rzeką
śmiali się ZOMO-wcy.

Płacze naród cały
zachód mu współczuje
tej haniebnej zbrodni
nikt wam nie daruje.

Przegonimy WRON-ę
osądzimy kata
nie doczeka junta
najbliższego lata.

Z więzień uwolnimy
męczonych rodaków
z Lechem wytopimy
zdrajców i łajdaków.

Nie byliśmy mściwi
szliśmy na ustępstwa
nie chcieliśmy władzy
lecz tylko partnerstwa.

Jak Polak z Polakiem
już się nie spotkamy
bo jak ktoś jest młotem
niech gada z cepami.

Ty cmentarna WRON-o
podła z ciebie szelma
chcesz uniknąć sądu
to zjeżdżaj do Kremla.

Tam sobie pokraczesz
z bratem przy obiedzie
potem brat cię wyśle
na białe niedźwiedzie.

Internowanie

13 grudnia roku pamiętnego
Naszli nas SB-cy z poranka samego.
Drzwi powywalali, ubrać się nie dali,
Potem za kratami wszystkich powsadzali.

Pamiętajcie ludzie, komunie nie wierzcie,
Bo komuna mocna, gdy wszyscy w areszcie.
Nie bój się narodzie, my jeszcze zdążymy
I po wyjściu z celi Polskę uwolnimy.

Fraszka

„Czemuś wesół?" – młodego pytał czyżyk stary.
„Internowany? Gorszej spodziewałeś się kary?"
Młody rzekł: „Tak czy owak będę uwolniony,
Bo klatka będzie wkrótce potrzebna dla wrony".

Przyśpiewka góralska

Coś wygląda zza jałowca,
Czy to baran, czy to owca?
Ani baran, ani owca,
Tylko wredny ryj ZOMO-wca.

Żołnierz dziewczynie nie skłamie

Żołnierz dziewczynie nie skłamie,
Chociaż nie wszystko jej powie.
Żołnierz stał w grudniu przy bramie
Z bronią i w hełmie na głowie.
Być może myślał o mamie,
Zanim czołg bramę wywalił.
Żołnierz dziewczynie nie skłamie,
Ale nie będzie się chwalił.
Zresztą jak było w programie,
To nie on – zomowcy strzelali.
Żołnierz dziewczynie nie skłamie,
On tylko stał, jak kazali.

On stał, jak kazała mu władza
I chwalić tu się czym nie ma.
On stał, by nikt nie przeszkadzał,
Gdy szła pod obcasy ekstrema.

Wiele przemilczy zupełnie,
Choć służba była nielekka,
Gdy z bronią nabitą, w hełmie,
Grzebał po damskich torebkach.

O tym, co on miał w kantynie,
Gdy stały kolejki przed świtem,
Żołnierz nie powie dziewczynie,
Nawet gdy o to zapyta.

Bo gdy mu choć trochę zostanie
Wstydu oraz oleju w głowie,
Żołnierz dziewczynie nie skłamie,
Ale nie wszystko jej powie.

Hymn niepolski

Jeszcze WRON-a nie zginęła
Póki my kraczemy
Co nam Solidarność wzięła
Czołgiem odbierzemy.

Marsz, marsz Jaruzelski
Od klęski do klęski
Za twoim przewodem
Zerwiemy z narodem.

I choć WRON-a głośno kracze
Wabiąc kruki i puchacze
I tak sprawa przesądzona
Orła WRON-a nie pokona.

Piosenki okupacyjne

Siekiera, motyka, bimbru nie ma
ale w zamian są więzienia,
siekiera, motyka, WRON-i lot
zginie wkrótce sierp i młot.
Wystawimy listę strat
niech ją płaci wielki brat.

Siekiera, motyka, piłka, graca,
Komu wojna się opłaca,
Siekiera, motyka tym z KC
tak się bardzo władzy chce.

Przeżyliśmy krwawy sąd
przeżyjemy WRON-y rząd.

Siekiera, motyka, żywot sielski
stworzył Polsce Jaruzelski.
Siekiera, motyka, gdy ten cep
palnie sobie w twardy łeb.

Niech wyprawią stypę mu
przyjaciele z MSW.

Siekiera, motyka, czarna WRON-a
w walce z orłem wkrótce skona,
siekiera, motyka, trąbka gra
Solidarność ciągle trwa.

***

Posłuchajcie dobrzy ludzie,
Wczoraj Susłow, dzisiaj Grudzień
Ślepowronie, zadrżyj na to
Twoja zima, nasze lato.

Sejm WRON

Ubaw zrobił Przymanowski
w polskim parlamencie,
że w kajdanach jęczy naród
cieszył się zawzięcie.

Skrzył się dowcip pana posła
rynsztokowym blaskiem,
spotykając się z zachwytem
i sali poklaskiem.

Twierdził nawet, że Polakom
w kajdanach do twarzy,
że przed lustrem w nich pozują,
a łagr im się marzy.

Chełpił się pan Przymanowski,
że ukradł drukarnię,
zaśmiewali się posłowie,
a lud ginie marnie.

Niby w maglu wypominał
sprawy „damsko-męskie"
(burdel Wrońskich czy Sokorskich
przemilczając skrzętnie).

W czas żałoby narodowej
Na Wiejskiej zabawa,
wodzirejem Przymanowski,
kukły biją brawa.

Hańbę tej sejmowej sesji
zapisze historia,
gdy z jałmużny naród żyje,
w sejmie – euforia.

Już się sława pułkownika
szeroko rozniosła,
powinszować, generale,
takiej szui – posła.

Koziołek nie-matołek

Chyba wszyscy pamiętacie,
Bo historia całkiem świeża,
Jak mu głowę ogolono,
I zrobiono zeń żołnierza.

Wnet wcielili go do ZOMO
I kazali bić studentów,
Lecz Koziołek nawet nie drgnie,
Stoi tylko uśmiechnięty.

„Ruszaj naprzód!” – wrzeszczy major,
„Trza na chleb zarobić pracą!”,
Lecz Koziołek, nim uderzy,
Chciałby wiedzieć najpierw – za co.

„Ach, skaranie z tym koziołkiem –
Wszyscy gniewnie zawołali –
Niech odbiorą mu tę pałę,
Jeszcze komuś z nas przywali!”

Na to pewien rzekł generał:
„Po co tyle robić krzyku?
Niech wydadzą mu karabin,
Będzie strzelał do górników.”

„To prościutkie jest zadanie,
Więc wykona je tej zimy,
Bo gdy on nie zechce strzelać,
To my jego zastrzelimy!”

Buchnął Kozioł go rogami,
Wedle starej, koziej mody,
I uciekał z tego miejsca,
Poprzez sady i ogrody.

Nadszedł ktoś, więc Kozioł pyta:
„Gdzie ja jestem, drogi panie?”
Tamten grzecznie mu odpowie:
„Jesteś pan w Ubekistanie!”

W tym to nowym, pięknym państwie,
Rządzi dobry dziadzio stary.

Co, by w koło nic nie widzieć,
Nosi ciemne okulary.

Gdyby ujrzał gwałt i przemoc,
Może by mu serce pękło?
A tak nic nie dostrzegając,
Może rządzić twardą ręką.

Z piersi jego bojowników,
Płynie hymn po całej ziemi,
„Jeszcze Moskwa coś tu znaczy,
Póki ludzi pałujemy!"

Kozioł wszedł na rynek świata,
Gdzie – jak to się nieraz zdarza,
Ujrzał tam zadumanego
Partii naszej sekretarza.

Ten pokazał mu na zachód
I mrugając od niechcenia,
Rzekł do niego: „Wyjedź, Koźle,
Polska dziś tam, gdzie nas nie ma."

Odparł Kozioł: „Piękne dzięki,
Lecz wyjechać stąd nie mogę,
Muszę szukać powielacza
I natychmiast ruszam w drogę.

Bowiem mnie nie chodzi tylko
O to złoto, co się świeci,
Ja zejść muszę do podziemia,
By ucieszyć polskie dzieci."

I znów poszedł swoją drogą,
Czasem zbłądził, biedaczysko,
I w szerokim świecie szukał,
Tego, co jest bardzo blisko.

My zbieramy wiadomości,
I chowamy w swojej teczce,
A niebawem opiszemy,
W ślicznej, jako ta, książeczce.

Migawki

1956

***

„Express Poznański" (nr 295):
W dniu tym słońce wzejdzie w Warszawie o godz. 7.48. już zaćmione i zjawisko skończy się o godz. 7.43.

***

„Służba Zdrowia" (nr 8):
Zając po stracie jednej nogi potrafi wcale nieźle biegać na trzech. Zjawisko podobne występuje również u człowieka.

***

Z okólnika Referatu Gospodarki Mieszkaniowej Prez. DRN Warszawa-Żoliborz:
Sprawę powyższą prosimy traktować jako bardzo poważną w związku z znajdującymi się wypadkami jak grzyb domowy, który nie tylko niszczy mieszkania, ale własne zdrowie.

***

„Trybuna Robotnicza" (nr 59):
Przedpoborowi zobowiązani są zgłosić się do rejestracji osobiście w lokalu Komisji Rejestracyj-

nej w Gliwicach przy ul. Ziemowita 1 punktualnie o 16.30. rano.

***

Z utworu pt.: *Pionierki* zamieszczonego w numerze 4-5 czasopisma „Mazury i Warmia":

On, przystojny brunet z włosami ułożonymi w gładki przedział, wodzi z lekka znudzonym wyrazem twarzy głową w ślad za jej krokami.

(...)

Wybuchając gwałtownym szlochem, nakryła stół tułowiem.

(...)

Po bardzo długim rozbiegu, wyśmiana przez wszystkich, postanowiła zacząć inną pracę.

(...)

U celu, w Malewie zdobyła to łóżko w baraku, na którym zdrzemnęła się, aż w całym baraku zaległy ciemności.

(...)

– O nie, Wando. Właśnie to twoje włażenie mi w odpowiedzialność.

***

„Gazeta Robotnicza" (nr 88):

Irena Kolasa zatrudniona przy ładowaniu wagonów bez przerwy wypełniała pociąg za pociągiem.

***

Podsłuchane na zebraniach:

Wszystkie głosy oddane powinny być wysłuchane.

Poprzez szkolenie ideologiczne nikomu nie zabrania się wierzyć.

Idzie nam o młodzież. Trzeba jej rozwiązać te skrzydełka i niech pokaże swój lwi pazur.

Konstytucja jest momentem, który idzie z duchem zagadnienia.

Strzelił jakiegoś byka, do którego już przywykł przez parę miesięcy pracy.

A ten koloryzm nie istnieje już nawet w przyrodzie.

Mówi się, że piętą achillesową jest brak koloru, a tymczasem główna pięta jest gdzie indziej.

Jestem nabrzmiały tymi strasznymi sprawami, od których włosy rosną na głowie.

Jesteśmy zbyt skrępowani, żeby wkroczyć w głąb człowieka. A jak to robił Matejko?

Towarzysze partyjni świecą pustkami.

Strona duchowa była wybitna przez przewagę zbliżeń i przebitek.

Do tej inicjatywy oddolnej kolegów najusilniej zapraszam...

Myśmy z winy naszego zarządu nie znaleźli dla siebie upustu.

Malować takim językiem malarskim...

Obciążył mnie jako prywatną przedsiębiorcę takim kilowatem...

Zanotowane na zebraniach plastyków
(E. Rosenstein, „Przekrój", 20 maja 1956, nr 580)

***

„Nowa Wieś" (dodatek kulturalno-literacki):
Aromatyczny, słodki gnój tego lazurowego zagajnika powodował przyjemny zawrót głowy.

***

„Głos Robotniczy" (nr 97):
... dyrekcja MHD – ODZIEŻ uruchomiła przy ul. PIOTRKOWSKIEJ nr 100 Wielki Sklep Problemowy z bielizną DAMSKĄ.

***

Kierownik Miejskiej Przychodni Specjalistycznej w Brzegu wysłał do tamtejszej poradni sportowo-lekarskiej pismo następującej treści:

Kierownictwo Miejskiej Przychodni Specjalistycznej w Brzegu zarzada z dnia 29 II 1956 r. do wszystkich pracowników Sluzby Zdrowia odpowiedzialnymi, ktorzy posiadaja pieczatki w gabinetach.

Po skonczonych pracach w gabinetach, przechowywac w odpowiednich miejscach pieczatki i przy wyjściach nie zostawiac pieczatki na biurkach a showac w odpowiednie miejsce.

W razie nie wykonania polecenia narazi sie poradnia na skutek podbitej pieczatki jednego jakiego kolwiek osobnika.

(„Przekrój", 3 czerwiec 1956, nr 582)

***

Jedna z Gromadzkich Rad Narodowych wydała następujące zaświadczenie.

Prezydium Gromadzkiej Rady Narodowej zaświadcza się że ob. T. M. urodzony 9 maja 1926 w (...) zam.(...) posiada następujący inwentarz żywy. Jedną krowę, jedną świnię, pięć kur, oraz posiada Matkę na swem utrzymaniu, która liczy ponad 64 lata.

(„Przekrój", 10 czerwca 1956, nr 583)

***

„Dziennik Polski" (nr 137) informuje, że:

Pożar powstał prawdopodobnie przez zaproszenie ognia.

***

Bar mleczny przy ul. Siennej w Krakowie umieścił planszę reklamową, na której na tle pleców dobrze zbudowanego mężczyzny widnieje następujące hasło:

„Przez mleczne bary – mam takie bary"

(„Przekrój", 24 czerwca 1956, nr 585)

***

Ogłoszenie z „Łódzkiego Expressu Ilustrowanego" (nr 138):

W upalne letnie dni najmilej spędzisz czas PRZY DOBREJ KAWIE, LODACH I NAPOJACH PRODUKCJI WŁASNEJ na tarasach letnich kawiarń.

***

„Przyjaźń" (nr 30) – fragment opowiadania:

Nie zważając na odmowy, dziewczyna zmusiła Andrzeja do poczęstowania się jakimś ciastkiem. Młodzieniec jadł wytwornie, nie otwierając ust.

***

„Głos Robotniczy" (nr 184) o problemach telewizyjnych:

Przede wszystkim potrzebne są jeszcze dwie kamery, gdyż jedna speakerka stanowi wąskie gardło programu.

***

Napis w poczekalni przychodni okulistycznej w Kielcach:

„Chroń oczy tak potrzebne w wykonaniu planu 6-letniego".

(„Przekrój", 26 sierpnia 1956, nr 594)

1958

Ministerstwo Oświaty wydało tymczasowy program dla szkół przysposobienia rolniczego na rok 1957/1958. W programie tym na stronie 36 czytamy:

Rozpłód. Temat ten jest stosunkowo prosty, na ogół znany młodzieży z praktyki i nie powinno być większych trudności przy jego realizacji.

(„Przekrój", 19 stycznia 1958, nr 667)

***

„Express Wieczorny" (nr 46):

Lata mijają. I oto niedawni uczniowie i studenci, którzy byli chuliganiącymi się młodzikami, żenią się i wychodzą za mąż.

***

„Gazeta Robotnicza" (nr 58) o złapaniu sprawcy kradzieży kiełbasy:

Po zauważeniu włamania rozpoczęto natychmiast śledztwo. Podejrzanego osobnika MO zatrzymała wkrótce w pobliskiej restauracji. Silny zapach wędzonej kiełbasy zdradził jednego ze sprawców włamania.

***

„Gazeta Zielonogórska" (nr 119) o Wieczorze Mickiewiczowskim, którzy odbył się w pewnym liceum:

Z przejęciem wysłuchano m.in. „Koncertu Jankiela" w wykonaniu Jadzi Drobnikówny i „Koncertu Wojskowego".

***

„Dziennik Łódzki" (nr 174):

Przyrost naturalny w 1958 r. kształtuje się na poziomie 18,8 na 1000 mieszkańców. Wskaźnik ten jest wyższy aniżeli przeciętna dla 1957 r. (18,4) i nadal pozostaje jednym z najwyższych wskaźników na świecie. Pracujemy coraz lepiej.

***

„Głos Wybrzeża" (nr 192):

W I półroczu ubiegłego roku jednostki MO pomogły prostytutkom w uzyskaniu pracy w 991 wypadkach, a w II półroczu – w 279.

***

„Express Wieczorny" (nr 205) o aferze kryminalnej:

Kombinacje wyszły na wierzch, który skazał S. na 3 lata i 6 mies. więzienia, G. na 2 lata i 6 mies., a D. na 1 rok.

***

„Trybuna Opolska" (nr 195)

Obwieszczenie o licytacji ruchomości:

Komornik Sądu Powiatowego w Opolu na podstawie art. 608 Kpc podaje do publicznej wiadomości, że dnia 22 sierpnia 1958 r. o godz. 8 przy ul. Beskidzkiej 8 i o godz. 9 przy ul. Kołłątaja 3 odbędzie się sprzedaż licytacyjna nieruchomości. Są to: jeden kredens pokojowy, jeden pomocnik, jedna fryzjerka...

***

„Gazeta Krakowska" (nr 211):
Krakowskie Zakłady Przemysłu Gumowego produkują termofory, rękawice, czapki kąpielowe i wiele innych asortymentów zabawek.

***

Ogłoszenie w „Dzienniku Bałtyckim" (nr 209):
Dwóch mężczyzn do pracy fizycznej (praca lekka, zarobki korzystne) przyjmie natychmiast Państwowa Stacja Sztucznego Unasienniania Bydła w Gdańsku.

***

Ogłoszenie w „Expressie Wieczornym" (nr 232):
Polskie Linie Lotnicze „LOT" Warszawa – Lotnisko – Okęcie ogłaszają przetarg nieograniczony na sprzedaż: 1 konia, 1 wóz ogumiony oraz 1 komplet uprzęży.

***

Fragment jadłospisu z restauracji „Patria" (kategoria I) w Bielsku:
Dania mięsne na zamówienie podane będą w ciągu 30-stu dni.

(„Przekrój", 19 października 1958, nr 705)

***

„Kurier Lubelski" (nr 302):
Pośród wielu wysoce korzystnych przejawów naszej ekonomiki w latach ubiegłych uderzał niski wzrost wydajności pracy.

1960

***

„Żyjmy Dłużej":
Zdolność hamowania i kontrolowania podniet zbiera plony, zwłaszcza w okresie pokwitowania, gdy popęd płciowy zaczyna domagać się swoich praw.

***

„Sztandar Młodych" (nr 41):
Ostatnio większa partia prezerwatyw wysłana została do Szwecji, celem wypróbowania przez lepszych od nas specjalistów.

***

Komunikat z „Expressu Wieczornego" (nr 43):
Wzywa się zmarłych, aby w terminie 6-ściu miesięcy od daty ukazania się ogłoszenia, zgłosili się do Sądu (...), gdyż w przeciwnym razie mogą być pominięci w postępowaniu o stwierdzenie praw do spadku.

***

„Trybuna Ludu" (nr 84):

Plany postulują osłabienie pozycji śledzia, królującego dotychczas w naszych bilansach. Jeśli w bieżącym roku stosunek między śledziem a białą rybą kształtuje się w planie 118 tys. ton do 54 tys. ton, to w ostatnim roku pięciolatki – 149 tys. ton do 120 tys. ton.

***

„Dziennik Łódzki" (nr 186):
Dr weterynarii Lucjanowi Kryszczakowi zam. w Działoszynie wiele słów uznania, szacunku i serdeczne podziękowanie za pomyślne dokonanie operacji i uratowanie od niechybnego zgonu tucznika cierpiącego na zapalne zwężenie jelita i ogólne zakażenie, a tym samym nie nadającego się na ubój – tą drogą składa Szymon Mieszczakowski.

***

Program telewizji łódzkiej na niedzielę 13 listopada zamieszczony w 45 numerze tygodnika „Radio i Telewizja":

11.45 Film krótkometrażowy
13.35 Film krótkometrażowy
15.45 Film krótkometrażowy
20.10 Film średniometrażowy

***

„Gazeta Zielonogórska" (nr 267):
TELEWIZJA WARSZAWA

17.00 PROGRAM DLA DZIECI
17.00 PRZERWA

1964

***

Ogłoszenie z „Życia Warszawy" (nr 45):

Wytwórnia Sprzętu Rozrywkowego w Warszawie, ul. Łopuszańska 499 ogłasza przetarg na wykonanie z materiału dostawcy 1000 szt. łóżek metalowych na siatce.

***

Na karteczce dołączonej do wełnianych spodenek kąpielowych produkcji Przedsiębiorstwa Dziewiarskiego „Warszawianka" podano:

Przepis prania. Prosimy prać wyłącznie na sucho.

(„Przekrój", 19 kwietnia 1964, nr 993)

***

„Wieczór Wybrzeża" w notatce pod tytułem *Świetny wynik szachisty radzieckiego*:

... w podnoszeniu ciężarów Włodzimierz Gołowanow wyrównał rekord świata w trójboju, uzyskując 480 kg w wadze lekkociężkiej.

***

Ogłoszenie w „Łowcu Polskim". Koło łowieckie z Wołomina informuje, że:

Jaja bażancie (starannie zapłodnione) sprzeda według kolejności zgłoszeń.

***

„Życie Warszawy" (nr 99) na temat sprzedaży nut:

Również bardzo poważnie wzrósł eksport nut, chociaż w tej dziedzinie obserwuje się pewien spadek w stosunku do lat poprzednich.

***

„Słowo Polskie" (nr 105) informuje:
Koło Przyjaciół Litwy organizuje 4-miesięczne zebranie, na którym wygłoszona będzie pogadanka.

***

„Kobieta i Życie" (nr 20):
W 1963 schorzenia ginekologiczne i powikłania porodowe stanowiły zaledwie ok. 4 proc. ogólnej absencji chorobowej (kobiet i mężczyzn razem).

***

Ogłoszenie z „Ilustrowanego Kuriera Polskiego" (nr 116):
PALACZA c.o. oraz KIEROWNIKA SALI wymagane średnie wykształcenie gastronomiczne lub ogólnokształcące ze znajomością języków obcych – zatrudni natychmiast Hotel „Orbis pod Orłem" w Bydgoszczy.

***

„Trybuna Ludu" (nr 155):
Zjednoczenie Hodowli Zwierząt Zarodowych (Ministerstwo Rolnictwa) zorganizowało w Ośrodku Kultury Rolnej PGR, w Kobylnikach w woj. bydgoskim kilkudniową (od 2 do 6 bm.) tzw. kursokonferencję, przeznaczoną dla dyrektorów i zootechników stadnin, stad ogierów oraz innych osób...

***

„Głos Szczeciński" informuje w dniu 6 czerwca, że miejscowe zakłady gastronomiczne

...zostały zaopatrzone w brakujące „kelnerki", których większą liczbę umieszczono w magazynach dyrekcji celem bieżącego uzupełniania braków.

***

„Gazeta Pomorska" (nr 137):

Państwowe Gospodarstwo Rolne Cielęta p-ta pow. Brodnica OGŁASZA dla firm państwowych i spółdzielczych PRZETARG w dniu 29 VI 1964 roku na przebudowę samochodu – furgonetki Warszawa-Picup na Wartburg-Combi.

***

Inne ogłoszenie z „Gazety Pomorskiej" (nr 155):

Kierownictwo Państwowego Gospodarstwa Rolnego Raciniewo pow. Chełmno OGŁASZA PRZETARG na jednoroczną dzierżawę sadu – około 3 sztuk drzew owocujących – o obszarze 4,63 ha. Ubiegający się o dzierżawę winien posiadać zezwolenie z Wydziału Handlu Prezydium Powiatowej Rady Narodowej.

Przetarg odbędzie się w dniu 4 VII 1964 r.

***

„Przegląd Techniczny" (nr 26) ogłasza, że:

Sekcja Wytrzymałości i badania materiałów SIMP oraz Instytutu Mechaniki Precyzyjnej przygotowują dwudniową Konferencję Zmęczeniową w marcu 1965 r.

***

Instrukcja załączana do młynka do kawy z importu:

Przepis użycia dla młyn-od-kawy-model waski. Nr 172-174.

1. Wierzch tak daleko na lewo albo na prawo pokręcić aż otwarcie do napełnienia młynka odkryte.

2. Po napełnieniu wierzch znowu pokręcić w normalne położenie. Wstawienie młynka na grubo albo miałko odbywa się jak następuje;

3. Całkowity młynek zdiąć z pudełeczka, tak, że takowe przesuwa się z przodu (napis firmy) w tył do uderzenia i wyciągnąć.

4. Wstawienie młynka na grubo albo miałko odbywa się za pomocą śruby – na prawo pokręcić miałko, na lewo pokręcić grubo-

Wstawienie młynka odbywa się w odwrotny sposób jak przy wyjęciu.

5. Wsyp kawy następująco:

a) przez przekręcenie wierzchu, przez co otwarcie wysypu odkrywa się albo

b) całkowity młynek wyjąć jak przy wstawieniu na grubo albo na miałko, jak już objaśniono.

(„Przekrój”, 16 sierpnia 1964, nr 1010)

***

„Życie Warszawy” (nr 185) informuje:

Ubezpieczenie w ZUS przysługuje chałupnikom, jeśli zaistnieją następujące warunki:

wynagrodzenie, uzyskiwane z tytułu pracy chałupniczej, jest nie niższe niż 600 zł. i nie wyższe niż 300 zł. miesięcznie.

***

„Gazeta Poznańska" (nr 200):
DYREKCJA MHM ukarała wytknięciem kierownika warsztatu masarskiego, który wyprodukował niejadalną metkę.

***

Fragment „Regulaminu dla korzystających z usług Ośrodka Wczasowo-Wypoczynkowego PWRN w Opolu nad jeziorem Turawa":
Strój ratownika: czepek koloru białego z literą „R" w otoku czerwonym poniżej pasa biodrowego.
(„Przekrój", 20 września 1964, nr 1015)

***

Z instrukcji obsługi elektrycznego imbryka porcelitowego:
Budowa i staranne wykonanie naszych imbryków gwarantuje – jeśli nabywca przestrzega instrukcji o sposobie użycia długoletnią nieużywalność...
(„Przekrój", 15 listopada 1964, nr 1023)

1968

***

W jadłospisie restauracji „Barbórka" w Bochni w rubryce DANIA Z DROBIU znaleźć można taki oto smakołyk:
„Lura w potrawce z ryżem"
(„Przekrój", 10 marca 1968, nr 1196)

***

Informacja z „Głosu Olsztyńskiego" (nr 56):

Oceniając na zasadzie punktowej pobrane próbki stwierdzono, że ze względu na nieprzyjemny smak i zapach masło to powinno być zakwalifikowane do gatunku wyborowego.

***

„Gazeta Kłobudzka" (nr 6):

...w krzepickim Zakładzie Wylęgu Drobiu po raz pierwszy w województwie wylęgną się w lutym br. prosięta rasy zatorskiej wyhodowane przez prof. dr Helenę Bączkowską z Wyższej Szkoły Rolniczej w Krakowie. Gęś tej rasy znosi rocznie ponad 40 jaj...

***

Spółdzielnia „Jedność" w Będzinie do swojego wyrobu załączyła metkę z następującą informacją:

Nazwa wyrobu: Spodenki płócienne męskie z wkładem.

(„Przekrój", 30 czerwca 1968, nr 1212)

***

„Express Wieczorny" (nr 197) na temat handlu:

A chwilami wydaje się, że już jest lepiej, gdyż w wielu sklepach są przykłady świetnej, kulturalnej obsługi. Ale zaraz czar pryska, gdy nagle ukaże się oczom klientów ekspedientka, jak ją Pan Bóg stworzył: niefachowa i niegrzeczna.

***

Z protokołu kontroli sanitarnej pewnego obiektu turystycznego w Zakopanem:
Czystość obiektu należy utrzymywać w należytej czystości.
(„Przekrój", 27 października 1968, nr 1229)

1972

***

Instrukcja użytkowania walizki produkowanej przez Tarnowskie Zakłady Wyrobów Galanteryjnych „Galwa". Punkt drugi tejże instrukcji powiadamia, jak posługiwać się zamkami:
– wcisnąć w otwór ryglowy górną część zamka, przytrzymując do czasu puszczenia bączka...
(„Przekrój", 9 stycznia 1972, nr 1396)

***

Instrukcja użytkowania i konserwacji „na trzewiki narciarskie popularne KARPATY" wydana przez fabrykę obuwia sportowego w Krośnie:
Przed każdym użyciem należy starannie usunąć z obuwia kurz przy pomocy szczotki włosianej, następnie ruchami posuwisto-okrężnymi przy pomocy tkaniny flanelowej wcierać pastę obuwniczą w tkankę skórną aż do wystąpienia przesytu.
(„Przekrój", 6 lutego 1972, nr 1400)

***

Wiadomość z „Expressu Wieczornego" (nr 56):
Teatr Współczesny zawiadamia, że na skutek awarii światła, bilety wykupione na 8 II *Potęgi ciemności* ważne są na 10 bm. lub kasa zwraca pieniądze.

***

Angielski prospekt po polsku:
Zimmer Elektryczna Pila do Cięcia Gipsu.
Przeznaczona do rozwiązania problemu cięcia i usunięcia każdego rodzaju gipsu i bandaży włącznie z nowym mocniejszym rozmiarem tzw. „Plastic".
Zimmer elektryczna piła do cięcia gipsu zapewnia kompletne bezpieczeństwo operatorowi i pacjentowi. Niebezpieczeństwo urznięcia pacjenta jest bardzo małe...

(„Przekrój", 23 kwietnia 1972, nr 1411)

***

Ogłoszenie na jednym z osiedli w Zgierzu:
OGŁOSZENIE
Administracja Domów Mieszkalnych Rej 3 w Zgierzu powiadamia mieszkańców Osiedla Kurak, że dozorca mieszka bl. 6 m. 252.
Przyjmuje interesantów codziennie w godz. 7.00-9.00, 18.00-20.00 z wyjątkiem świąt i niedziel.

***

Ogłoszenie z „Gazety Poznańskiej" (nr 122):
Rzemieślnicza Spółdzielnia Zaopatrzenia i Zbytu Galanteryjników i Zabawkarzy Poznań, ul. Piekary 16/17
wykonuje

REMONTY oraz KONSERWACJE
bocznic kolejowych, normalnotorowych i wąskotorowych o prześwicie 600 mm wg norm, katalogów i cenników państwowych.

***

Ulotka informacyjna dołączona do sandałów wyprodukowanych przez augustowskie Zakłady Obuwia:

Sandały z boków bydlęcych roślinnych wykończonych plastykowo. Tego typu obuwie z boków bydlęcych roślinnych jest bardzo wygodne, przewiewne i higieniczne. Obuwie to przeznaczone jest do całorocznego użytkowania w okresie letnim.

(„Przekrój", 30 lipca 1972, nr 1425)

***

Na figach damskich Di-374 produkcji Spółdzielni Pracy „Trykot" znajduje się metka, a na metce następująca informacja:

Suszyć na ręczniku doprowadziwszy uprzednio do pierwotnego kształtu. Pranie na sucho daje znacznie lepsze wyniki i zapobiega odkształtowaniu w wymiarach.

(„Przekrój", 17 września 1972, nr 1432)

***

Z katalogu Centrali Technicznej (strona 658) można dowiedzieć się, że istnieje następujący przyrząd:

Próbnik przepicia typ P 432

(„Przekrój", 8 października 1972, nr 1435)

***

„Gromada – Rolnik Polski" (nr 128) w związku ze zjazdem Związku Nauczycielstwa Polskiego:

Przez dwa dni 571 delegatów w imieniu 600 nauczycieli, pracowników oświaty, szkolnictwa wyższego i nauki, obradować będzie nad kształtowaniem się sytuacji w zawodzie nauczyciela.

***

„Głos Wybrzeża" (nr 266) informuje:

W zakresie produkcji zwierzęcej Józef Reksa nastawił się na produkcję buraków.

1976

Wypowiedź dyrektora pewnej bydgoskiej instytucji dla „Kuriera Polskiego" (nr 1):

Sądzę, że klienci nie mieli wiele powodów do zadowolenia z naszych usług i mam nadzieję, że w nadchodzącym roku będzie podobnie.

***

Ogłoszenie z „Życia Warszawy" (nr 2):

PTTK ZAKŁAD PRODUKCYJNY „FOTOPAM" posiada do upłynnienia NOWE FORMY NA LALECZKI

Forma wtryskowa „warszawski cwaniak" część przednia

Forma wtryskowa „chłopiec" część przednia

Forma wtryskowa „dziewczynka" część przednia

Forma wtryskowa część tylna

***

„Życie Warszawy" (nr 31) informuje:

Pracownicy PGR Balowo w woj. olsztyńskim zobowiązali się w kooperacji z rolnikami indywidualnymi wyhodować dodatkowo 1,5 tys. uczniów oraz 2 tys. owiec.

***

Ogłoszenie z „Ilustrowanego Kuriera Polskiego":

Cukiernia Spółdzielnia Pracy „Wisła" w GRUDZIĄDZU OGŁASZA PRZETARG NIEOGRANICZONY na wykonanie dwóch pieców półautomatycznych do wypieku wafli w kształcie rurek 120-gniazdowych.

***

Zakłady Chemiczno-Aerozolowe „Unia" w Warszawie „reklamują" jeden ze swoich wyrobów:

Maść alantoinowa usuwa nekrotyczną tkankę, powoduje wybitne przyspieszenie ziarninowania, a posiadając własności keratoliczne szybko usuwa hyperkeratyzację.

(„Przekrój", 16 maja 1976, nr 1623)

***

Obwieszczenie z „Gazety Pomorskiej" (nr 84):

Kolegium ds. Wykroczeń przy Naczelniku Gminy w Czernichowie ukarało (...) zam.(...) grzywną 1000 zł., kosztami postępowania (50 zł), oraz podaniem orzeczenia do publicznej wiadomości w prasie na koszt obwinionego za to, że utrzymywał bez zezwolenia naczelnika gminy 5 buhajów w wieku ok.

18 m-cy i wadze ok. 450-500 kg i pokrywał nimi 6 swoich krów.

***

„WTK" (nr 20) ogłasza:

ZJEDNOCZONE ZESPOŁY GOSPODARCZE ZAKŁAD PRODUKCJI GALANTERII Biały Dunajec oferują przedsiębiorstwom handlu gospodarki uspołecznionej:

GOGLE w oprawie miękkiej – młodzieżowe „KROKUS"

GOGLE w oprawie twardej

OKULARY SPORTOWE o specjalnym przeznaczeniu do jazdy na motocyklach, rowerach, traktorach...

***

Ogłoszenie zamieszczone w „Zielonym Sztandarze" (nr 39):

Agroma Przedsiębiorstwo Handlu Sprzętem Rolniczym w Kielcach POSIADA DO ODWROTNEJ SPRZEDAŻY NIŻEJ WYMIENIONE MASZYNY ROLNICZE...

***

Informacja o wyrobie wyprodukowanym przez Zakłady „Delta" w „Łodzi":

Ubr. tr. młodz. chłop. ponad 15-18 lat 05-0795 Baw.+ weł. zgrz. 0%

(„Przekrój", 4 lipca 1976, nr 1630)

***

Rajtuzy damskie wyprodukowane przez austriacką firmę „Sandy" zaopatrzono w PRAKTYCZNE UWAGI UBIERANIA RAJSTOP. Oto one:

1. Rajstopy przed nakladaniem nalezy zwinać czupkow palcow.
2. Następnie ponczochy naciagamy rownomiernie mocno do kolan.
3. W ten samo sposob naciagamy przez uda.
4. A teraz wciagnac majtki do pasa az guma bedzie w talji.

Ten sposob ubierania gwarantuje dluga trwalosc rajstop.

(„Przekrój", 24 października 1976, nr 1646)

***

„Kurier Lubuski" (nr 243):

Wydział Komunikacji Urzędu Wojewódzkiego w Chełmie jest koordynatorem budowy nowych przystanków na trasie T-12, na odcinku Chełm-Lublin. W sumie ma stanąć tutaj 12 przystanków, z czego około 14 w bieżącym roku, reszta w przyszłym.

1980

***

Trzy obwieszczenia zamieszczone w „Sztandarze Ludu" (28 XII 1979).

W pierwszym naczelnik Gminy w Rudzie Hucie:

...podaje do publicznej wiadomości o ukaraniu

OB. M.W. zam. (...), który dnia 8 października br. około godz. 14.30. w Barze Uniwersalnym w Rudzie Hucie, woj. chełmskie będąc w stanie wskazującym na spożycie alkoholu załatwiał na sali konsumpcyjnej potrzeby fizjologiczne poprzez oddawanie moczu. Kolegium (...) ukarało go grzywną w wysokości 2000 zł. z zamianą w razie nieuiszczenia w terminie na 1 miesiąc aresztu zastępczego.

W drugim naczelnik:

...podaje do publicznej wiadomości o ukaraniu Ob. R.L. zam.(...), który dnia 10 października br. około godz. 10.40 w Barze Uniwersalnym będąc w stanie wskazującym na spożycie alkoholu donośnym głosem używał słów wulgarnych w obecności około 30 osób. Kolegium (...) ukarało go grzywną w wysokości 2500 zł. z zamianą w razie nieuiszczenia w terminie na 50 dni aresztu zastępczego.

W trzecim naczelnik:

...podaje do publicznej wiadomości o ukaraniu Ob. M.Z. zam.(...), który dnia 1 listopada 1979 r. około godz. 15 w Barze Uniwersalnym w Rudzie Hucie, woj. chełmskie będąc pod wpływem alkoholu śpiewał piosenki kowbojskie oraz zakładał nogi na stoliki i krzesła. Kolegium (...) ukarało go grzywną w wysokości 3500 zł. z zamianą w razie nieściągalności na 70 dni aresztu zastępczego.

***

Instrukcja użytkowania dołączona do termosów ALPINA produkcji Chemicznej Spółdzielni Pracy „Wkra". W punkcie 2 tejże instrukcji czytamy:

Termosy są zamknięte korkami korkowymi, nakręconymi z tworzyw lub rozprężnymi. Korki rozprężne zamyka się przez dotknięcie uchwytu korka w prawą stronę, aż do uzyskania uszczelnienia.

(„Przekrój", 9 marca 1980, nr 1822)

***

Notatka z „Wieczoru Wrocławia" (nr 69):

ZAKAZ walki o zdrowie społeczeństwa powinien dopingować władze administracyjne, resorty, organa kontrolujące stan sanitarny do koordynacji poczynań...

***

„Dziennik Zachodni" (nr 80) zamieścił ogłoszenie Dyrekcji Rejonowego Przedsiębiorstwa Remontowo-Budowlanego w Zabrzu, dotyczące zapisów kandydatów do Zasadniczej Szkoły Zawodowej. W ogłoszeniu tym napisano:

Do podania należy dołączyć:

1. podanie

***

„Express Poznański" (nr 95) zawiadamia, że w Akademii Ekonomicznej w Poznaniu

odbędzie się PUBLICZNA OBRONA PRACY DOKTORSKIEJ mgr T.D. – „Ocena przydatności słoi szklanych Twist-off do pakowania wybranych konserw sterylizowanych".

***

Ogłoszenie z „Głosu Wybrzeża" (nr 104):

PAŃSTWOWE STADO OGIERÓW w Starogardzie Gdańskim OGŁASZA PRZETARG NIEOGRANICZONY na sprzedaż samochodu osobowego marki Dacia 1300 (...) cena wywoławcza 59.500 złotych.

W razie niedojścia do skutku pierwszego przetargu drugi przetarg odbędzie (...) przy cenie wywoławczej obniżonej o 30 proc.

***

Ogłoszenie z „Ilustrowanego Kuriera Polskiego" (nr 114):

„INSBUD" – Inowrocław – wykonuje instalacje centralnego ogrzewania, wodno-kan., elektryczne – w domach jednorodzinnych, budynkach inwentarskich – w terminie odwrotnym.

***

„Wieczór Wrocławia" (6 czerwca) informuje:

Dzień (158 w br.) jest dłuższy od wczorajszego o 2 minuty, a od najdłuższego w roku o 8 godzin i 24 minuty.

***

Wyrok za kłusownictwo ogłoszony w „Gazecie Częstochowskiej" (nr 33):

...w dniu 14 listopada 1979 r. w Ulesiu województwa częstochowskiego działając wspólnie i w porozumieniu przy użyciu psów – charta i mieszańców charta oraz reflektora weszli w posiadanie jednego zająca na szkodę Koła Łowieckiego „Lis" w Dąbrowie Zielonej.

***

„Przekrój" (26 października 1980 roku, nr 1855) poinformował o nowym produkcie, którym były majteczki niemowlęce „KASIA". Nietrudno się domyślić, z czego zostały one wyprodukowane, skoro wykonała je Spółdzielnia Rzemieślnicza BUDO-METAL w Szczecinie (sic!).

***

Instrukcja użytkowania szklanek z polietylenu produkowanych przez Spółdzielnię Pracy Uranium z Łodzi:

Temperatura stosowania i mycia około 85 C. Można używać do kontaktu z artykułami żywnościowymi z wyjątkiem tłuszczów i alkoholi. Myć ściereczką i płynami do mycia. Nie używać do kontaktu z żywnością.

(„Przekrój", 16 listopada 1980, nr 1858)

***

Wyjaśnienie zamieszczone w numerze 47 „Podkarpacia":

Nawiązując do wypowiedzi Henryka Nędzy na łamach waszego pisma z dnia 23 X 1980 r. w artykule *Prosto z fabryki*, w którym wyraża się negatywnie o organizacji pracy na Wydziale Obróbki Mechanicznej Sanockiej Fabryki Autobusów wyjaśniamy, że praca pracowników rozpoczyna się o godz. 7.10 i trwa do 7.15.

***

Fragment programu TV z „Gazety Robotniczej" z dnia 7 listopada:

11.35 Wieczór filmowy

1984

***

„Dziennik Telewizyjny" w dniu 18 stycznia informuje, że:

...nowe zarządzenie o przydziale większej ilości pasz treściwych dla trzody chlewnej bodźcować będzie na powiększenie stanu pogłowia...

***

„Dziennik Zachodni" (nr 63) pisze na temat tablic rejestracyjnych pojazdów:

Ustalone zostały tablice zunifikowane wymiarowo, jednorzędowe podłużne 520x120 mm lub dwurzędowe kwadratowe o wymiarach 290x230 mm...

***

Ogłoszenie z „Dziennika Zachodniego" (nr 93):

MERCEDESA (1968) wersja amerykańska, bez silnika, sprzedam.

***

Obrazek gastronomiczny z „Trybuny Robotniczej” (nr 105):

Często szefowa kuchni dosłownie nie ma z czego ugotować obiadu, z przywiezionych ostatnio wymion wołowych niewiele bowiem da się wymyśleć.

***

Fragment artykułu z „Trybuny Robotniczej”, będący przykładem niezwykle zwięzłego i przejrzystego stylu dziennikarskiego:

To, co powiedziałem – wyjaśnia dyrektor – nie stanowi bynajmniej pochwały systemu nakazowo-rozdzielczego. Sytuacja jest przecież taka jaka jest. Ochrona pewnych grup, w przypadku tarnogórskiej produkcji – dzieci, m.in. przez programy operacyjne była kwestią świadomego wyboru w obszarze organizacji procesu wytwarzania i dystrybucji towarów.

***

„Głos Wybrzeża” z dnia 18 maja przypomina o zbliżającym się Dniu Dziecka:

UWAGA RODZICE!
ZBLIŻA SIĘ DZIEŃ DZIECKA!
DLA POCIECH NAJLEPSZYM PREZENTEM BILET NA „ODDZIAŁ ZAMKNIĘTY”.

***

W „Kurierze Lubelskim” (nr 107) przewodniczący Komisji ds. Przeciwdziałania Alkoholizmowi odpowiada na pytanie o działalność komisji:

Inną widoczną dla obywateli formą naszej działalności jest stymulowanie spożycia alkoholu.

***

Ogłoszenie z „Dziennika Łódzkiego”:
MOC na wtryskarce posiadam, tel. 57-66-23.

***

Ogłoszenie z „Kuriera Polskiego” (nr 193):
ZAKŁADY WŁÓKIEN CHEMICZNYCH „STILON” 66-407 Gorzów Wlkp., ul. Fr. Walczaka 25 poszukują wykonawców kół zębatych metodami „Kurwex”, „Gleason” i „Klingelnberg”.

***

Fragment programu telewizyjnego z „Życia Warszawy” (5 października):

20.00 Bublicystyka

***

Ogłoszenie z „Gazety Robotniczej” (nr 263):
GMINNA SPÓŁDZIELNIA „SAMOPOMOC CHŁOPSKA” w Niemczy PRZEPROWADZA AKTUALIZACJĘ CZŁONKÓW.

1986

***

„Wieczór Wrocławia" informuje:

Olbrzymi asortyment oferuje swym klientom znana w Przemyślu Spółdzielnia Rzemieślnicza „Przyszłość". Wśród licznych wyrobów są m.in. figurki gipsowe Buddy i Amorka, lampy, żyrandole, figi damskie i męskie kalesony, szczęki hamulcowe do Fiata 126p, klatki dla kanarków, trumny i galaretki z porzeczek...

***

Fragment karty dań restauracji prowadzonej przez „Społem":

Alkohol przyczyną chorób nowotworowych.

Na życzenie podajemy ½ porcji dla dzieci.

***

Ogłoszenie z „Gazety Pomorskiej" (nr 90):

WROCŁAWSKIE FABRYKI MEBLI we Włocławku oferują ODBIORCOM PAŃSTWOWYM I PRYWATNYM do sprzedaży w roku 1986 TROCINY I WIÓRY z drewna iglastego i liściastego w cenie 200 zł. za kg.

***

„Życie Warszawy" z 23 maja informuje, że w bieżącym roku

...zwiększono przydziały mięsa wieprzowego i wołowego na produkcję wędlin z koniny i baraniny.

***

Inny cytat dotyczący gastronomii tym razem z „Veta":

Będziemy ostro rozliczać władze handlu i województw z regionów turystycznych właśnie za należyte przygotowanie gastronomii do wakacji.

***

Wiadomość z „Gazety Olsztyńskiej" (nr 167):

ROCZPOCZĘŁY SIĘ ŻNIWA

Rolnicza Spółdzielnia Produkcyjna w Kieźlinach rozpoczęła już tegoroczne żniwa, co prawda nie u siebie, lecz u rolników indywidualnych. Wczoraj siali jęczmień ozimy...

***

Fragment reklamy zakładu, zajmującego się zapewne naprawą samochodów:

DIAGNOSTYKA
MECH – POJA
ROZBRAJ – UZBRAJ
POJ – SAM

(„Przekrój", 27 lipca 1986, nr 2146)

***

14 października Fabryka Kosmetyków „Pollena-Uroda" w Warszawie informuje na łamach „Expressu Wieczornego", że zatrudni natychmiast:

blacharzy, tokarzy, szlifierzy, frezerów i kierowcę lokomotywy...

***

„Trybuna Robotnicza" (nr 264) w artykule na temat pijaństwa:

Nieskuteczności zwalczania tej plagi dowodzą przypadki kilkukrotnego karania tych samych osób za identyczne przemówienie.

***

„Gazeta Robotnicza" (nr 261) informuje z kolei, że:

Minister finansów Bazyli Samojlik zapewnił, iż w przyszłym roku ceny (nie licząc alkoholu i papierosów) nie powinny wzrosnąć więcej niż o 9,5 proc. Nie będzie też pieniędzy.

***

Na koniec zdanie opublikowane przez „Rzeczpospolitą" (nr 234), które mogłoby być doskonałą puentą tej książki:

Jedynie zdeklarowani wrogowie Polski socjalistycznej i jej kultury, bezzasadnie podkreślający dorobek 40-lecia, nie mogą liczyć na pobłażanie.

Indeks

Bierut Bolesław – komunista, twórca rządu Polski Ludowej. Jedyny prezydent PRL-u, sekretarz generalny PPR, później PZPR. Zmarł w tajemniczych okolicznościach 12 marca 1956 roku podczas pobytu w Moskwie.

Bubel – potoczne określenie wadliwego towaru. Bez znajomości tego terminu nie sposób chyba zrozumieć, na czym polegała „jakość" konsumpcji w PRL-u.

CRZZ – Centralna Rada Związków Zawodowych – organizacja centralna, skupiająca wszystkie branżowe związki zawodowe w PRL-u. Rozwiązana 31 grudnia 1980 roku.

Cyrankiewicz Józef – wielokrotny premier PRL-u w latach 1947-1952 i 1954-1970.

Dzierżyński Feliks – Polak, przewodniczący CZEKA – Nadzwyczajnej Komisji do Walki z Kontrrewolucją. Twórca systemu masowych mordów jako środka do zdobycia i utrzymania władzy w ZSRR.

Eksport wewnętrzny – pod tą nazwą kryła się metoda pozyskiwania przez państwo twardej waluty, polegająca na prowadzeniu sieci sklepów (głównie „Pewexów"), w których można było nabywać zachodnie towary za dewizy, a od 1960 roku również za tak zwane „bony towarowe".

Engels Fryderyk – współpracownik Karola Marksa w procesie tworzenia naukowego socjalizmu.

Fala 49 – nazwa politycznej audycji Polskiego Radia z przełomu lat 40. i 50.

FJN – Front Jedności Narodu. Prorządowy blok wyborczy, z którego list kandydowali wspólnie przedstawiciele PZPR, Zjednoczonego Stronnictwa Ludowego, Stronnictwa Demokratycznego oraz działacze bezpartyjni.

FSM – Fabryka Samochodów Małolitrażowych – zakłady w Bielsku Białej i Tychach produkujące samochody Fiat 126 p na licencji włoskiej.

Gierek Edward – działacz partyjny z Górnego Śląska. Po upadku Gomułki pierwszy sekretarz PZPR do czasu wydarzeń sierpniowych 1980 roku. Twórca propagandy sukcesu, „drugiej Polski" i 30 miliardów dolarów długów.

Gomułka Władysław „Wiesław" – przedwojenny działacz komunistyczny, w czasie wojny sekretarz generalny PPR, po wojnie w rządzie i władzach partii. W roku 1948 odsunięty od władzy. W 1956 roku twórca „polskiego października", objął funk-

Kółka Rolnicze – społeczno-gospodarcze organizacje chłopskie, działające w celu zwiększenia produkcji rolnej. Nowa forma próby kolektywizacji wsi.

KPZR – Komunistyczna Partia Związku Radzieckiego – rządząca i jedyna partia polityczna w Związku Sowieckim. Wcześniej nosiła ona nazwę WKP(b).

„Kultura" – tygodnik kulturalny, wydawany w Warszawie. Nazwa czasopisma została zapożyczona od „Kultury" paryskiej redagowanej przez Jerzego Giedroycia, co trudno traktować inaczej niż w kategoriach politycznej prowokacji. Wsławiło się ono między innymi udziałem w brutalnej nagonce prasowej na Witolda Gombrowicza w 1963 roku.

Kułak – terminem tym propaganda okresu stalinowskiego określała bogatych chłopów, których w myśl tezy o walce klasowej uznano za „wiejskich kapitalistów" i wyzyskiwaczy. Kułak jako negatywny bohater plakatów i licznych utworów literackich stał się ikoną wroga ustroju na równi ze spekulantem i sabotażystą.

Kuroń Jacek – czołowa postać polskiej opozycji demokratycznej. Współtwórca i członek Komitetu Obrony Robotników (KOR) utworzonego w 1976 roku. Doradca NSZZ Solidarność, wielokrotnie represjonowany.

Lenin Włodzimierz Iljicz – założyciel partii bolszewickiej. Przywódca rewolucji 1917 roku i państwa radzieckiego.

Marks Karol – filozof, autor *Kapitału*. Wraz z Fryderykiem Engelsem twórca doktryny tzw. naukowego socjalizmu, która została później rozwinięta przez Lenina i Stalina.

Marzec 1968 – wydarzenia związane z zakazem wystawiania *Dziadów* Adama Mickiewicza w reżyserii Kazimierza Deymka. Ekipa Gomułki zdjęła dramat z desek Teatru Narodowego w Warszawie w styczniu 1968 roku, co spowodowało rozruchy studenckie oraz protesty środowiska naukowego. W odwecie władze zastosowały represje wobec uczestników zamieszek, zarówno studentów (między innymi Adama Michnika i Henryka Szlajfera), jak i wspierających ich wykładowców (na przykład Zygmunta Baumana i Leszka Kołakowskiego). Winą za zajścia w Warszawie obarczono inteligencję polską pochodzenia żydowskiego (słynne hasło propagandowe „Syjoniści do Syjonu”), zmuszając ją nierzadko do przymusowej emigracji.

MBP – Ministerstwo Bezpieczeństwa Publicznego – powołane dekretem w 1944 roku, obejmowało służby MO i UB. Kuźnia terroru lat stalinowskich. Ministrowie BP byli faktycznymi władcami Polski, odpowiedzialnymi tylko przed Moskwą. MBP uległo likwidacji w 1954 roku. Jego rolę przejęło MSW.

MDM – Marszałkowska Dzielnica Mieszkaniowa w Warszawie. Wybudowana w latach 1951-1952 była wzorcowym przykładem realizmu socjalistycznego w architekturze. Wnet stała się uosobieniem wszystkiego, co w socrealizmie było najgorsze, przede wszystkim tendencji do fałszywie rozumianego monumentalizmu.

MHD – Miejski Handel Detaliczny – nazwa przedsiębiorstwa prowadzącego sieć państwowych sklepów detalicznych.

„Młody Technik" – czasopismo popularnonaukowe dla młodzieży. Od 1950 roku dwutygodnik, od 1953 – miesięcznik. W okresie stalinowskim obok wielu zapewne cennych informacji z dziedziny fizyki i techniki przemycało również treści ideologiczne, co prowadziło często do kuriozalnych efektów.

MO – Milicja Obywatelska – „organ" MBP, potem MSW. Struktura podobna do struktur policji, nie cieszyła się uznaniem ani poparciem społecznym. Skompromitowana współudziałem w terrorze stalinowskim i udziale w wydarzeniach: Poznań 56, Marzec 68, Grudzień 70, Czerwiec 76 i tym, co działo się w Polsce od Grudnia 1981.

Moczar Mieczysław – podczas wojny prokomunistyczny partyzant. Po jej zakończeniu związany z bezpieką. Minister spraw wewnętrznych w okresie gomułkowskim. Wykonawca nagonki antysemickiej w 1968 roku.

„Moda i Życie Praktyczne" – czasopismo dla kobiet. Ukazywało się trzy razy w miesiącu od 1946 do 1949 roku. Następnie wydawano je pod nazwą „Moda i Życie" (1949-1952), a od 1953 roku jako tygodnik „Kobieta i Życie". Tygodnik ten ukazywał się do 2002 roku i był najpopularniejszym obok „Przyjaciółki" czasopismem adresowanym do kobiet.

ORMO – Ochotnicza Rezerwa Milicji Obywatelskiej – licząca 400 tysięcy członków milicja cywilna, pomagająca ochotniczo milicji mundurowej w „sprawowaniu porządku".

Pewex – przedsiębiorstwo zajmujące się tzw. eksportem wewnętrznym, tj. sprzedażą towarów w kraju za waluty zachodnie. Dawniej Kasa Opieki PKO.

PGR – Państwowe Gospodarstwo Rolne – gospodarstwa rolnicze i hodowlane, utworzone po 1945 roku z majątków ziemskich na Ziemiach Odzyskanych i z tzw. majątków obszarniczych, przejętych przymusowo przez państwo.

PKO – Powszechna Kasa Oszczędności – bank państwowy zdejmujący z rynku inflacyjny nadmiar gotówki za pomocą książeczek oszczędnościowych (głównie mieszkaniowych i samochodowych). Niestety wskutek inflacji po latach oszczędzania za pieniądze zgromadzone na książeczkach można było kupić... obiad w restauracji (w najlepszym razie).

PKPG – Państwowa Komisja Planowania Gospodarczego – synonim wszystkiego najgorszego, co mogło zdarzyć się gospodarce PRL-u w latach 1948-1956.

Plan 6-letni – plan gospodarczej rozbudowy Polski w latach 1950-1956.

„Polityka" – tytuł warszawskiego tygodnika polityczno-społecznego.

POM – Państwowy Ośrodek Maszynowy.

POP – Podstawowa Organizacja Partyjna – podstawowa organizacyjnie komórka PZPR.

Poznań 1956 – potoczne określenie strajków i demonstracji w Poznaniu, w czerwcu 1956 roku. Symbol zmian politycznych.

PPS – Polska Partia Socjalistyczna – partia, która po zakończeniu wojny próbowała prowadzić politykę kontynuacji tradycji socjalistycznych Polski Niepodległej. Zdominowana przez elementy prokomunistyczne, zniknęła z areny politycznej przez wymuszone połączenie z PPR w 1948 roku i przemianowanie w Polską Zjednoczoną Partię Robotniczą.

PPR – Polska Partia Robotnicza – powstała w czasie okupacji promoskiewska partia stała się bazą polityczną dla przyszłego rządu ludowego, przywiezionego do Lublina w 1944 roku. Partia ta w dniu zakończenia wojny liczyła zaledwie kilkanaście tysięcy członków. W 1948 roku poprzez połączenie się z lewicowym PPS zmieniła nazwę na Polską Zjednoczoną Partię Robotniczą. Inspiratorka terroru stalinowskiego w Polsce w latach 1944-1948.

PRL – Polska Rzeczpospolita Ludowa – nazwa systemu politycznego, usankcjonowanego konstytucją z 1952 roku, która oznaczała prawie całkowitą likwidację praw ustanowionych przez Konstytucję Niepodległej Polski.

PRON – Patriotyczny Ruch Odrodzenia Narodowego. Organizacja powstała podczas stanu wojennego, zastąpiła FJN (Front Jedności Narodu).

„Przekrój” – tygodnik kulturalny wydawany od 1945 roku. Na tle ówczesnej prasy wyróżniał się nie tylko atrakcyjną szatą graficzną, ale również zawartością merytoryczną: informacjami na temat mody czy zachodnich popkulturowych nowinek. W czasach PRL-u czasopismo zasłużenie uchodziło za kreatora dobrego smaku i za okno na świat artystycznego *establishmentu*. Niestety, nawet ono nie było wolne od ideologicznych aluzji.

Przymanowski Janusz – autor książki *Czterej pancerni i pies*, której serialowa wersja zyskała ogromną popularność. Poseł na sejm w stanie wojennym. Wsławił się wystąpieniem na posiedzeniu Sejmu 25 stycznia 1982 roku, kiedy wyszydzał represjonowanych pisarzy.

PSL – Polskie Stronnictwo Ludowe – stronnictwo chłopskie, powstałe w 1903 roku. Od 1945 roku, pod przewodnictwem Stanisława Mikołajczyka, legalna opozycja przeciw komunistom w Polsce. Po sfałszowanych wyborach w 1947 roku i opuszczeniu kraju przez Mikołajczyka przejęte przez elementy prokomunistyczne. W 1949 roku łączy się ze Stronnictwem Ludowym w całkowicie kontrolowane przez komunistów Zjednoczone Stronnictwo Ludowe.

PZPR – Polska Zjednoczona Partia Robotnicza – powstała w grudniu 1948 roku z połączenia się PPR i PPS. Struktura wzorowana na komunistycznej partii sowieckiej: KC – komitet centralny, BP – biuro polityczne. Sekretariat KC i BP stanowią najwyższe władze partii od zjazdu do zjazdu. Wszystkie perturbacje polityczne kończą się wymianą winnych I sekretarzy KC, faktycznych władców kraju. PZPR kontrolowała wszystkie dziedziny życia w Polsce.

Rada Narodowa – organ administracji państwowej, od województwa w dół do dzielnicy.

RWPG – Rada Wzajemnej Pomocy Gospodarczej – organizacja współpracy gospodarczej państw bloku sowieckiego.

SD – Stronnictwo Demokratyczne – trzecia „oficjalna" partia w PRL-u, zrzeszająca rzemieślników, kupców, prywatną inicjatywę. Razem z ZSL w prorządowym Froncie Jedności Narodu, a od 1982 roku w PRON. Przybudówka PZPR, mająca dowodzić istnienia pluralizmu politycznego w Polsce.

Socrealizm (realizm socjalistyczny) – doktryna artystyczna obowiązująca w literaturze i sztuce od 1949 do 1956 roku. W myśl założeń realizmu socjalistycznego literatura miała być całkowicie podporządkowana ideologii i pełnić głównie funkcję propagandowo-agitacyjną.

Sokorski Włodzimierz – w latach 50. Minister Kultury i Sztuki, a między 1956 a 1972 rokiem prezes Komitetu do spraw Radia i Telewizji.

Solidarność NSZZ – Niezależny Samorządny Związek Zawodowy, powstały po podpisaniu porozumień w Gdańsku, Szczecinie i Jastrzębiu w sierpniu i wrześniu 1981 roku. Oficjalnie zabroniony po wprowadzeniu stanu wojennego.

Spółdzielnia Produkcyjna – polska nazwa „kołchozu”, jedynego dobrego sposobu osiągania sukcesów w rolnictwie. Inaczej „chłopowiązałka”. W czasach stalinowskich skolektywizowano tysiące indywidualnych gospodarstw chłopskich, siłą tworząc spółdzielnie produkcyjne. Polityka ta spowodowała w krótkim czasie kryzys żywnościowy, który mimo likwidacji 10 tysięcy spółdzielni na przełomie lat 1956-1957 trwał aż do końca lat osiemdziesiątych.

SPO – Sprawny do Pracy i Obrony. Prestiżowa odznaka ustanowiona przez władze PRL-u 17 kwietnia 1950 roku.

Stachanowiec – inna nazwa przodownika pracy, pochodząca od nazwiska górnika z ZSRR Aleksieja Stachanowa, który rzekomo w 1935 roku wyrobił na swojej sztychcie 1400 procent normy (102 tony węgla zamiast siedmiu). Był to wynik manipulacji, ponieważ na rekordzistę pracowała cała grupa anonimowych pomocników. Stachanow jako bohater spopularyzowany przez oficjalną propagandę apelował do robotników o przystąpienie do współzawodnictwa. Wyścig stachanowski, w który zaangażowali się ochoczo również polscy robotnicy kuszeni obietnicami wyższych płac, ostatecznie przyniósł skutki odwrotne do zamierzonych. Pogoń za rekordami prowadziła do dewastacji maszyn, a efekty pracy w pośpiechu pozostawiały wiele do życzenia.

Stalin Józef – po śmierci Lenina szef partii komunistycznej w ZSRR i szef państwa. Nazywany ironicznie Wielkim Językoznawcą, był „specjalistą" we wszelkich możliwych dziedzinach nauki i sztuki. Po śmierci w 1953 roku okazał się winnym wszystkich zbrodni popełnionych w okresie jego rządów w ZSRR i państwach bloku socjalistycznego. Nazwano to eufemistycznie następstwami kultu jednostki.

Stan wojenny – stan porządku w państwie, polegający na drastycznym ograniczeniu praw obywatelskich. Wprowadzony w Polsce przez grupę wojskowych 13 grudnia 1981 roku.

Stonka ziemniaczana – zwana potocznie żuczkiem Kolorado, wytępiona w okresie międzywojennym, pojawiła się w 1946 roku i wnet stała się głównym problemem polskiego rolnictwa. Z racji nienasyconego apetytu siała spustoszenie wśród upraw ziemniaków. Władze wykorzystały ten fakt na użytek propagandowy przeciwko Stanom Zjednoczonym, które miały rzekomo zrzucać żarłocznego owada z samolotów na tereny NRD.

Susłow Michaił – działacz KPZR. Członek Prezydium Rady Najwyższej ZSRR.

Syrena – „cud" motoryzacji okresu PRL-u. Silnik samochodu warczał, charczał i wydawał jeszcze inne dziwne dźwięki. Peerelowski krążownik szos królował na polskich drogach w latach 60. i 70. Został dopiero wyparty przez inny „cud" techniki – produkowanego na licencji Fiata 126p.

Szczepański Maciej – od 25 października 1972 roku Przewodniczący Komitetu do spraw Radia i Telewizji. Jego kadencja została zapamiętana z dwóch powodów: z jednej strony słynął z bezwzględności wobec podwładnych oraz z lansowania propagandy sukcesu, z drugiej jednak strony – udało mu się unowocześnić telewizję, która emitowała w latach 70. wiele atrakcyjnych programów (zwłaszcza rewelacyjny Teatr Telewizji). W roku 1984 kontrowersyjny szef Radiokomitetu został skazany na 8 lat więzienia za malwersacje finansowe.

TPPR – Towarzystwo Przyjaźni Polsko-Radzieckiej – organizacja pogłębiająca miłość i przyjaźń do Związku Radzieckiego.

Trabant – samochód produkowany w NRD. Niemiecki odpowiednik Syreny nazywany w Polsce sarkastycznie „zemstą Honeckera".

„Trybuna Ludu" – dziennik, oficjalny organ KC PZPR. Ukazywał się w latach 1948-1990.

UB – Urząd Bezpieczeństwa – policja polityczna. Jednostka podległa Ministerstwu Bezpieczeństwa Publicznego, powołana do życia w 1944 roku, przekształcona później w Służbę Bezpieczeństwa.

UNRRA – angielski skrót od nazwy Administracji Narodów Zjednoczonych do spraw Pomocy i Odbudowy – organizacji zrzeszającej czterdzieści cztery państwa, założonej 9 listopada 1943 roku w Waszyngtonie w celu udzielania natychmiastowej pomocy żywnościowej, medycznej, odzieżowej, mieszkaniowej i innej krajom Narodów Zjednoczonych wyzwalanych spod okupacji w Europie. Pomoc ta pochodziła najczęściej z zapasów wojennych i objęła również Polskę w pierwszych latach powojennych. Zazwyczaj przybierała postać dostaw żywnościowych, głównie – konserw mięsnych.

Warchoły – staropolskie określenie buntowników. Użyte w stosunku do strajkujących robotników w Radomiu i Ursusie w czerwcu 1976 roku.

Warszawa – samochód osobowy produkowany od początku lat 50. na licencji radzieckiej. Ten krążownik szos, w oficjalnej propagandzie przedstawiany jako limuzyna, rozpędzał się do niespełna 100 km/h.

WRON – Wojskowa Rada Ocalenia Narodowego – grupa wojskowych, która przejęła władzę w Polsce 13 grudnia 1981 roku, wprowadzając stan wojenny.

Wroński Stanisław – w latach 1971-1974 Minister Kultury i Sztuki. W latach 70. redaktor naczelny czasopisma „Nowe Drogi”, od 1980 prezes ZG TPPR, do 1981 członek KC PZPR.

Wujek Kopalnia – kopalnia na Górnym Śląsku. Po wprowadzeniu stanu wojennego okupowana przez górników. Akcja odbicia kopalni przez oddziały ZOMO spowodowała 11 ofiar śmiertelnych wśród górników.

ZOMO – Zmotoryzowane Odwody Milicji Obywatelskiej – oddziały policji, wyspecjalizowane w tłumieniu demonstracji. Użyte masowo po ogłoszeniu stanu wojennego.

Wybrana bibliografia

Dabert D.: *Zbuntowane wiersze. O języku poezji stanu wojennego*, Poznań 1998.

Internetowe Muzeum Polski Ludowej (www.polskaludowa.com)

Kargul J.: *Pracownik kulturalno-oświatowy. Problemy zawodu i modele działania*, Warszawa 1976.

Kartki z PRL-u. Ludzie, fakty, wydarzenia, red. W. Władyka, Poznań – Warszawa 2006, T. 1: 1944-1970, T. 2: 1971-1989.

Księga listów PRL-u, oprac. G. Sołtysiak, Warszawa 2004, T. 3: 1971-1989.

„Młody Technik", R. 1950-1954.

„Moda i Życie Praktyczne", R. 1947-1949.

Morżoł I., Ogórek M.: *Polska między wierszami. Życie codzienne w PRL-u*, Warszawa 1991.

Mroczkowska M.: *Listy do „Przyjaciółki"*, Warszawa 2004.

Poradnik gospodyni wiejskiej, praca zbiorowa, Warszawa 1954.

Poradnik gospodyni wiejskiej, praca zbiorowa, Warszawa 1955.

Program nauczania ośmioklasowej szkoły podstawowej (tymczasowy), praca zbiorowa, Warszawa 1963.

„Przekrój", R.: 1956, 1958, 1960, 1964, 1968, 1972, 1976, 1980, 1984, 1986.

Razem młodzi przyjaciele. Podręcznik do nauki języka polskiego dla klasy IV, praca zbiorowa, Warszawa 1977.

Redliński E.: *Nikiformy*, Warszawa 1982.

„Trybuna Ludu", R.: 1950, 1951, 1953, 1956, 1968, 1971, 1976.

Wspólnota myśli i celów, praca zbiorowa, Warszawa 1979.

Zblewski Z.: *Leksykon PRL-u*, Kraków 2001.

DOWCIPY PRL-U

Proponujemy Państwu kolejną publikację poświęconą w całości powracającej ostatnimi laty tematyce PRL-u. Tym razem mamy do zaoferowania antologię najciekawszych kawałów z „minionej epoki”. Dowcipy wzbogacone o cenne przypisy ilustrują ówczesne poczucie humoru, będące odtrutką na absurdalność systemu. Mimo że dotyczą one okresu, który bezpowrotnie odszedł do historii, to prezentują się zaskakująco świeżo i dziwnie aktualnie. Dla czytelniczej wygody i przejrzystości wybór został podzielony na rozdziały, których celem jest tematyczne uporządkowanie zamieszczonego w książce materiału.

ABSURDY PRL-U

Niniejsza antologia stanowi zapis najbardziej zabawnych zjawisk z czasów realnego socjalizmu. Książka ukazuje absurdalność życia w PRL-u zarówno od strony codzienności, jak i w perspektywie całokształtu kultury. Spora część zamieszczonych tutaj materiałów nigdy nie była wcześniej publikowana.

Wszystkie książki można zamawiać*

telefonicznie: (061) 8686795;

listownie: Vesper
ul. Wieruszowska 16
60-166 Poznań;

e-mailowo: zamowienia@inrock.pl

odwiedź też: **www.vesper.pl**

*płatne przy odbiorze